仮想通貨入門

めざせ「億り人」!

著者 SC研究会
漫画 吉村佳

お昼は!パイレーツ
続いては仮想通貨「HINA」の不正流出事件の話題です
パチパチ
本日はゲストコメンテーターとして
有名株トレーダーのパンサー川島さんにお越しいただきました
よろしくお願いします
パンサー川島

まずは昨夜行われた緊急記者会見の様子をご覧ください
本日弊社コインアカウントにおいて
取引機能が停止する事態が発生いたしました
本件に関しまして世間をお騒がせしておりますことを深くお詫び申し上げます

バシャ
バシャバシャバシャバシャ

不正流出事件を受けて
現在この本社ビルで
緊急記者会見が
行われております
被害総額は日本円で
600億円以上と
みられており
ビルの前には
被害にあった
個人投資家たちが
大勢詰めかけています
出てこーい
金返せーー!
補償しろーー!
社長の車が
出てきました!
ワッ
わああ…
返して…
ビタッ
私のお金返して
くださ――い!
ブロロ…
倉森 琴音

ブッ
返してくださーい!!
川島さん!?
大丈夫ですか!?
一旦CMです
わあー…
ライブ配信中
【生放送】投資の国のアリス
が視聴中
『投資アイドル』アリスです☆
みんな「パイレーツ」見てたー?
今の子かわいそうだったよねえ
みんなは大丈夫だった?
大丈夫だけどびっくりし
自分も被害受けちゃいました…
そもそもやってないから
生放送中!
有村 五十鈴（ありむら いすず）
Tmitter Name
:アリス

アリスちゃんは大丈夫だった？
私はコインを取引所に置いておかない主義だから大丈夫だったよー
でもさっきの子かわいかったなあ
確かにかわいかった！
私と一緒にアイドルやってくれないかな!!
面白そう！
自称 仮想通貨アイドルですからね
ムン!
危機管理できる知識は身につけてるつもりだよ
ドヤ顔w
かわいいw
ポン
それっぽいアカウントあったよ！
それじゃ突撃してみようかな？
ありがとう！
金
もり子
この子じゃないかな～

チーン…
ブルル
川島さん
ビクッ
もしもし…倉森です…
あなた株だけじゃなくて仮想通貨にも手を出していたのね
絶対上がるってみんな言ってたのにTmitterで
……はあ…
ヌゥ…
仕方ないわね
かわいそうなあなたに仕事を紹介してあげるわ
今度の土曜日の10時にいつもの喫茶店に来なさい
川島さん……

ありがとうございます
川島さんは仮想通貨やってなくてよかったですね
私?
やってたわよ遊びで少しだけ
でも年末の爆上がりでけっこう儲かったわよ
それじゃあね
ブツッ
ツーツー
……なんで自分だけちゃっかり儲けてるんだ あの人は…
くそ～
私も絶対仮想通貨で億り人になってやるー!!
うるさいわよことね!!
親

そもそも仮想通貨って何？

Q1 ビットコインと仮想通貨の違いは？

A ビットコインは仮想通貨の**代表的な存在**

仮想通貨(暗号資産)は、紙幣や硬貨のような実体を持たず、データのみで存在している通貨です。ビットコインはこの仮想通貨の一種で、2008年ごろに考案されました。仮想通貨の代表的な存在であり、**知名度、取引量ともに一番**といってもよいでしょう。

現在ではさまざまな仮想通貨が生まれ、仮想通貨で商品やサービスを購入できる店舗なども増えています。

Q2 なぜ仮想通貨に投資するの？

A 取引環境が整い、価格が急騰したため

仮想通貨の取引所が誕生したのは2010年です。仮想通貨には国籍がないため、その後も世界各国で取引所が作られました。結果、**個人でも簡単に取引できるようになり**、投資対象として定着していきました。また、注目度が高まるにつれて仮想通貨（主にビットコイン）の価格は上昇し、さらに多くの人が投資するようになったのです。

Q3 仮想通貨はどうやって売買する？

A 取引業者に口座を作ろう

仮想通貨は取引所や販売所と呼ばれる**取引業者を通じて売買されます**。取引業者でウォレットと呼ばれる口座を開設し、取引資金を入金すれば準備完了。インターネット上で買い注文や売り注文を出して売買します。なお、**売買の際には手数料がかかります**。手数料は取引業者ごとに異なるため、自分の投資スタイルに合った取引業者で口座を作りましょう。

特集2 仮想通貨投資の魅力

「to the moon」暴騰したコインたち

投資に興味がなかった人もバブルに乗って資産を増やせた

2017年は、仮想通貨にとって歴史的な1年になりました。世界的に注目度が高まり、市場にたくさんのお金が入り込んだことで、新たな通貨が生まれ、どの通貨も軒並み価格が急騰したからです。

例えば、ビットコインはこのとき の1年間で**約15倍に値上がり**しています。ビットコイン以外の仮想通貨（アルトコイン）のなかには、**100倍以上の値上がり**を記録したものもありました。結果を見れば、この1年間はいつ、どのタイミングで買っても、ほとんどの人が利益を出せたのです。

値上がりに通じる話題が多かった2017年

値上がりの背景としては、買い手の数が圧倒的に多く、需要（買い手）と供給（売り手）の力の差が大きかったことが挙げられるでしょう。

まだ仮想通貨で決済できるお店などは少なかったものの、**決済手段として普及したり、新たな使い道が生まれる可能性を見込み**、多くの投資家たちが買い注文を出していたのです。

値上がり率の大きさや仮想通貨投資で儲かった人（通称・億り人）が注目され、**メディアに取り上げられる機会が増えたこと**も買い手を後押しする要因になりました。

令和に復活した仮想通貨の高騰!!

「to the moon」や「寝ロング」という言葉が誕生した2017年。ビットコインの価格が半年で20倍以上になるなど、仮想通貨はまさにバブル状態でした。そんなバブルも、仮想通貨の巨額盗難事件によって、一瞬で弾けてしまいます。2018年以降、仮想通貨の価格は下落が続き、ビットコインの価格も50万円前後で推移しました。

しかし、2020年後半から仮想通貨の価格が徐々に回復。2021年、米電気自動車大手のテスラが、ビットコインに約1580億円を投資したことがニュースになると、ビットコインの価格は500万円近くにまで上昇しました。

■ビットコインの価格の推移

ハッキングされない？　盗まれない？
安全に取引するために大切なこと

突如起こった仮想通貨の流出事件

仮想通貨と聞いて、ハッキングを連想する人も多いかもしれません。盗まれる、危ないといった印象を持っている人もいることでしょう。実際、過去にはマウントゴックスという取引所からビットコインが消えたことがあります。

また、コインチェックからは当時の価格で580億円相当の仮想通貨「ネム」が盗まれたり、ザイフからは67億円相当の仮想通貨が盗まれたりするなど、ニュースに取り上げられるほど話題になりました。

セキュリティレベルが高い取引業者を選ぶことが大事

仮想通貨は実体がない通貨なので、物理的に奪われることはありません。しかし、ハッキングのようなデジタル犯罪により勝手にどこかに出金されたり、送金されるリスクはあります。

ここで注意したいのは、ハッキングを受けるのが取引所であり、仮想通貨そのものではないということです。つまり、セキュリティ対策ができている取引所を使えば被害を受ける可能性は限りなく低くなります。

金融庁ではセキュリティレベルの評価などを踏まえた取引業者の登録制度を作っています。口座を作る際は、登録されている業者のなかから選んでみましょう。ハッキングなどに巻き込まれるリスクを低くできるかもしれません。

大事な資産を守るために知っておきたいキーワード

仮想通貨の投資や運用では、自分たち個人でもセキュリティ意識を高めることが大切です。ここでは、資産を守るうえでも知っておきたいキーワードを紹介します。

ホットウォレット・コールドウォレット

仮想通貨の保管場所であるウォレットは2種類あります。1つはインターネットと接続されたオンライン状態のホットウォレット。もう1つは**オフライン状態**のコールドウォレットです。ハッキングはインターネット経由で行われるため、コールドウォレットで保管する取引所であれば被害を防ぐことができます。

マルチシグ（マルチシグネチャ）

シグとはウォレットにアクセスするための鍵で、秘密鍵とも呼ばれます。この鍵が1つしかないものがシングルシグ、複数あるもの（通常は3つ）がマルチシグです。マルチシグは、**3つの鍵のうち2つ揃わないとアクセスできない**仕組みが主流です。ハッキングによって鍵が1つ盗まれただけではウォレットにアクセスできないため、結果としてセキュリティレベルが高くなります。

2段階認証

2段階認証は個人がウォレットにアクセスするときのセキュリティ対策です。ログインするためのパスワードと、ログインした端末とは別の端末に送られる**パスワードを2つ使う方法**で、本人以外の誰か（ハッカーなど）が不正にログインするリスクを防ぐことができます。

特集4 仮想通貨投資のこれから

安全性や税制はどう変わる？ 市場の今と未来を考える

規制と改善によって健全な市場に変わっていく

仮想通貨には約10年の歴史がありますが、投資対象として注目されたのは最近のことです。そのため、売買環境のセキュリティや税制を含む規制などの面で株式投資や為替取引より整備が遅れているところがあります。

このような点は、**仮想通貨の取引量が安定し、市場が活性化していくなかで徐々に整備されていく**でしょう。実際、マイナンバー制度を通じた課税の仕組みの確立や、取引所の登録制度なども進みつつあります。一方、海外では取引所に向けた規制を強化したりする動きなどがあり、国内でも新規通貨の発行やレバレッジ取引の規制が注目されるようになりました。

未来を見据えて投資する

2018年以降、仮想通貨業界は、全体的に価格の下降が続いていました。一時は200万円以上の値をつけたビットコインも、40万円を切ったこともあります。

しかし株や為替と同様、価格の下降がずっと続くことはなく、いつかは上昇に転じるタイミングが訪れるはずです。そのタイミングを逃さないよう、知識や情報を集めましょう。

日々の価格の上下に一喜一憂するのではなく、技術の革新などを期待して仮想通貨時代に備えた投資をするのも1つの方法です。

X年後の仮想通貨市場を予想してみた

「源泉徴収あり」のウォレットで納税が楽になる!?

現在、仮想通貨取引で利益を得た場合は個人で確定申告する必要があります。今後は株やFXなどと同じように利益を受け取る際に税金分が引かれる仕組みとなり、納税の手間が大幅に減る可能性があります。

仮想通貨が分散投資の商品として定着!?

手持ちの資産を、現金、株式、不動産などに分ける分散投資は、長期の運用の基本的な手法。現状、仮想通貨は値動きが荒く、長期保有するリスクがありますが、値動きが安定すれば分散の選択肢になるかも。

これから投資するときに押さえておきたいポイント

- 仮想通貨は時代に求められている
- 将来性のある優良な仮想通貨に投資する
- 自分の許容範囲を超えない「安全資産」で投資する

登場人物紹介

有村（ありむら） 五十鈴（いすず）

TN アリス

動画配信サイト「Your Tube」で活動している自称仮想通貨アイドル。ハッキング事件でたまたまニュースに映り込んだ琴音に興味を持ち、アイドル活動へ勧誘する。

倉森（くらもり） 琴音（ことね）

TN もり子

元々、株トレーダーだったが、何かと話題になっていたため、仮想通貨の投資も開始。ネットですすめられた仮想通貨に投資していたが、ハッキング事件によって盗まれてしまう。

一之瀬（いちのせ） 杏子（きょうこ）

TN あんず

吉武（よしたけ） 理瑛（りえ）

TN えいきち

琴音が株初心者のときに出会った友人。先輩投資家として、半人前の琴音を支えている。詳しくは『マンガでわかる最強の株入門』（弊社刊）をチェック！

川島（かわしま） 陽（あきら）

TN パンサー川島

豊富な知識と経験で億を稼ぐ凄腕トレーダー。その美貌と歯に衣着せぬコメントが受け、メディアにも多数出演している。琴音とは過去に因縁があったが、現在は和解している。

TN:Tmitter Name

Part 1 仮想通貨を売り買いしてみよう！

Part 2 ビットコインとアルトコイン 本当に儲かるコインって?

Part 3 勝つべくして勝つために 実践! 私の億り人戦略

Part 4 知らなきゃ勝てない仮想通貨の超基本

※本書は特に表記がない限り、２０２１年２月時点での情報を掲載しております。本書の利用によって生じる直接的、間接的被害等について、著者、漫画家ならびに新星出版社では一切の責任を負いかねます。あらかじめご了承ください。

※２０２０年５月に改正資金決済法が施行されたことに伴い、これまでの「仮想通貨」という名称が、国際標準である「暗号資産」に法令上、統一されましたが、本書においては、原則、「仮想通貨」の名称を使用しています。

Part

1

仮想通貨を売り買いしてみよう！

仮想通貨はどこで買える？

取引所は個人間の売買を行う

仮想通貨（暗号資産）を売買する場所には、**取引所と販売所の2つ**があります。

取引所は、**個人が売り手と買い手になり、直接、通貨を売買する場**です。個人同士の取引なので、「100円で買いたい」「100円で売りたい」など、買いと売りの注文がマッチすれば売買が成立し、**取引成立した価格がその通貨の時価**となります。

取引所における仮想通貨の価格は、高く買う人の注文が減れば価格は下がり、安く売りたい人の注文が減れば価格が上がります。このような買い手と売り手の需給バランスによって通貨の価格は24時間動き続けています。

販売所は業者を相手に売買する

仮想通貨の販売所は、**仮想通貨を取り扱う業者と売買する場**です。取引所の売買が人と人の間で行われるのに対して、販売所の売買は人と業者の間で行われる点が大きな違いです。通貨を買いたい人は販売所が提示する価格で買います。売りたい人も同様に、販売所が提示する価格で売ります。

Check！

一般名称で使われる取引所

一般的に、仮想通貨を扱う業者を取引所と呼びます。そのため、口座を開設した取引所が**取引所と販売所のどちら（あるいは両方とも）**を提供しているか、把握しましょう。

取引所と販売所の違い

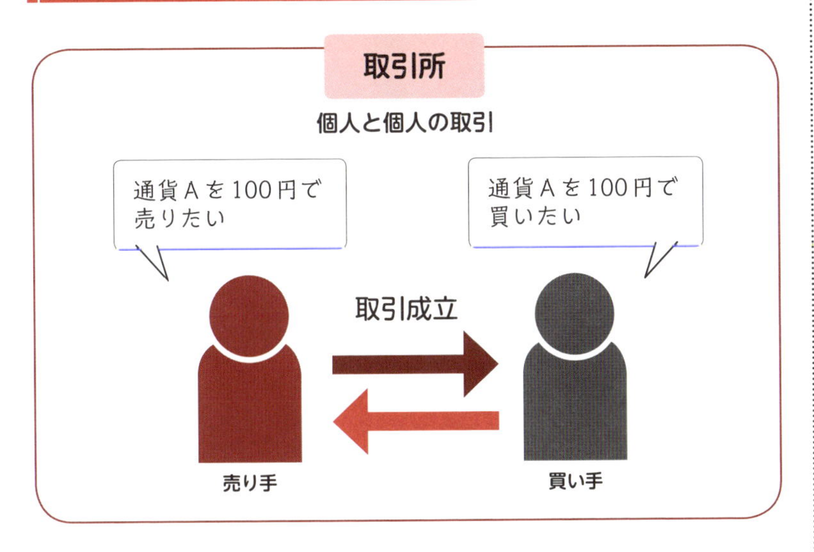
取引所
個人と個人の取引
通貨Aを100円で売りたい
通貨Aを100円で買いたい
取引成立
売り手
買い手

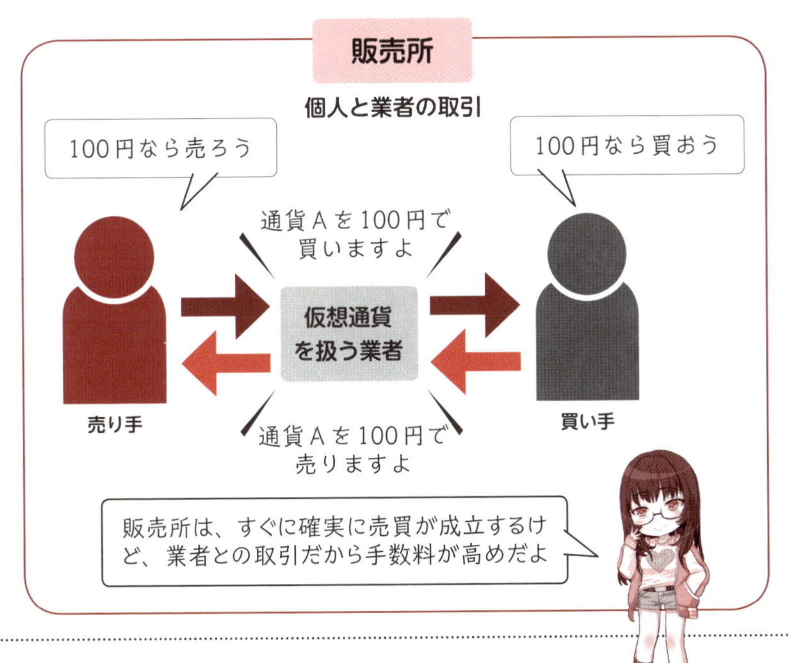
販売所
個人と業者の取引
100円なら売ろう
100円なら買おう
通貨Aを100円で買いますよ
仮想通貨を扱う業者
通貨Aを100円で売りますよ
売り手
買い手
販売所は、すぐに確実に売買が成立するけど、業者との取引だから手数料が高めだよ

仮想通貨はいくらで買える？

1単位未満で買うことができる

仮想通貨の価格はその時々の取引状況によって変わり、常に変動しています。そのため、購入に必要な資金もその都度変わります。ビットコイン（BTC）を例にすると、2020年の初めごろは1BTCあたり80万円前後で買えましたが、年末には300万円弱になりました。仮想通貨は、株や為替（かわせ）などと比べて値動きが大きいため、必要資金の額も大きく変わります。ただし、必ずしも大きな資金が必要というわけではありません。

仮想通貨を買うには、取引所・販売所ごとに、**売買の注文が出せる最小の数量である「最小注文数量」**と、**売買注文を出す際の最低の取引単位である「最低取引単位」**が決められています。これらはほとんどが、1単位よりも小さい0.1とか0.01などとなっています。たとえば、ある取引所でビットコインを売買するときの最小注文数量が0.1BTCで、最低取引単位が0.01BTCだった場合、売買注文は0.11BTCとか、0.12BTCなどとしてもいいわけです。

そこで、もしも1BTCが100万円だったら、最小注文数量が0.1BTCなら10万円から、同じく0.01BTCであれば1万円から通貨を買うことができます。また「アルトコイン」なら1単位あたりの価格はもっと安くなります。このように**少額の資金でスタートできるのが仮想通貨の特徴の1つ**です。

用語解説

※**アルトコイン**：ビットコイン以外の仮想通貨の総称。詳しくはPart2参照。

主な取引所・販売所のビットコイン最低取引単位

取引所・販売所名	取引所	販売所
	最低取引単位	最低取引単位
bitFlyer（ビットフライヤー）	0.001BTC	0.00000001BTC
bitbank（ビットバンク）	0.0001BTC	0.00000001BTC
GMOコイン（ジーエムオーコイン）	0.0001BTC	0.0001BTC
Huobi Japan（フォビジャパン）	0.0001BTC	0.001BTC
BTCBOX（ビーティーシーボックス）	0.001BTC	—
BITPoint（ビットポイント）	0.00000001BTC	—
DMM Bitcoin（ディーエムエムビットコイン）	0.001BTC	0.001BTC
Coincheck（コインチェック）	500円相当	0.001BTC

● 1 BTCが100万円だった場合…

最小注文数量	日本円換算
0.00000001BTC	0.01円
0.0001BTC	100円
0.001BTC	1,000円
0.01BTC	10,000円
0.1BTC	100,000円

失敗しない取引所選び①

登録がない取引所はダメ！

Ⓑ信用度が高い登録業者を選ぶ

仮想通貨を売買するためには、**取引所や販売所を持つ業者で口座を作る**必要があります。口座を作り、資金を入金し、そのお金で売買するのが基本的な仕組みです。ただ、仮想通貨業者は国内だけでも複数あり、海外を含めるとその数は何倍にもなるでしょう。

では、どのような基準で選べばいいのでしょうか。取引業者の信用という点から見ると、**暗号資産交換業者として登録されているかどうか**が挙げられます。暗号資産交換業者は**金融庁が管轄する登録制度**で、業務内容や体制などを審査した上で登録に至ります。登録されていれば絶対安全というわけではありませんが、業者として基本的な条件は満たしていると考えることができます。

取引所のトラブルなどによって資金が引き出せなくなるといったリスクを避けるためには、登録済みの業者を選ぶのが望ましいといえるでしょう。

Check！

仮想通貨業者の3つのタイプ

仮想通貨業者には、登録制度を基準にした場合、①すでに登録されている「暗号資産交換業者」②登録制度が作られる前から売買の取次などを行っているが、現状として**登録されていない「みなし業者」**③これから事業をスタートする予定で、登録申請中の業者の3つのタイプに分けることができます。

暗号資産交換業者登録一覧（金融庁）

●金融庁により暗号資産交換業者に登録されている取引所

登録年月日	暗号資産交換業者名	登録年月日	暗号資産交換業者名
2017年9月29日	株式会社 マネーパートナーズ	2017年12月26日	株式会社BITOCEAN
2017年9月29日	QUOINE株式会社	2019年1月11日	コインチェック株式会社
2017年9月29日	株式会社bitFlyer	2019年3月25日	楽天ウォレット株式会社
2017年9月29日	ビットバンク株式会社	2019年3月25日	株式会社ディーカレット
2017年9月29日	SBI VCトレード株式会社	2019年9月6日	LVC株式会社
2017年9月29日	GMOコイン株式会社	2019年11月27日	株式会社LastRoots
2017年9月29日	フォビジャパン株式会社	2019年12月24日	FXcoin株式会社
2017年9月29日	BTCボックス株式会社	2020年3月30日	オーケーコイン・ ジャパン株式会社
2017年9月29日	株式会社ビットポイント ジャパン	2020年7月7日	コイネージ株式会社
2017年9月29日	株式会社Zaif	2020年9月8日	Payward Asia 株式会社
2017年12月1日	株式会社DMM Bitcoin	2020年9月23日	CoinBest株式会社
2017年12月1日	TaoTao株式会社	2021年2月17日	株式会社デジタル アセットマーケッツ
2017年12月1日	Bitgate株式会社	2021年2月17日	株式会社マーキュリー
2017年12月1日	株式会社Xtheta		

出典：金融庁「暗号資産交換業者登録一覧」
2021年3月現在

Part1

04

失敗しない取引所選び②
欲しい通貨は買える？

扱っている通貨に違いがある

仮想通貨の売買で特徴的なのは、**取引所によって売買できる通貨が異なり、売買価格も違う**という点です。

株式投資の場合、どの証券会社を使っても買える株の種類は変わりませんが、仮想通貨は業者によって取り扱いがない場合がありま す。ビットコインやイーサリアムのようなメジャーな通貨であれば、ほとんどの業者で扱っていますが、その他の通貨の扱いはさまざまです。売買したい通貨を扱っている取引所で口座を作る、通貨によって複数の取引所を使い分けるなど、通貨のラインナップが取引所選びのポイントにもなります。

価格も異なる！

また、株の場合は売買される場は証券取引所という市場なので、売買価格が同じです。一方、仮想通貨の取引は業者が各々用意している取引所で行われます。つまり、複数の業者で売買できるビットコインの場合、A社で出した注文はA社の取引所、B社で出した注文はB社の取引所に出され、それぞれの取引所内で売買が成立するわけです。

そのため、取引所によって売買の活性度が異なり、価格も変わります。**ユーザー（取引する人）の数が多いほど値動きも安定しやすくなる**ため、取引所の人気で比べることも大事なポイントです。

主な取引所ごとの取り扱い通貨

取引所	取り扱い通貨			
	BTC（ビットコイン）	ETH（イーサリアム）	XRP（リップル）	その他の通貨
bitFlyer（ビットフライヤー）	○	○	○	ETC（イーサリアムクラシック）、LTC（ライトコイン）、BCH（ビットコインキャッシュ）、MONA（モナコイン）、LSK（リスク）など
bitbank（ビットバンク）	○	○	○	LTC、MONA、BCC（ビットコインキャッシュ）など
SBI VCトレード	○	○	○	
GMOコイン	○	○	○	BCH、LTC、XEM（ネム）など
Huobi Japan（フォビジャパン）	○	○	○	LTC、BCHなど
BTCBOX（ビーティーシーボックス）	○	○	×	BCH、LTC
BITPoint（ビットポイント）	○	○	○	LTC、BCHなど
DMM Bitcoin（ディーエムエムビットコイン）	○	○	○	ETC、LTC、MONAなど
Coincheck（コインチェック）	○	○	○	ETC、LSK、FCT（ファクトム）、XEM、LTC、BCHなど
楽天ウォレット	○	○	×	BCH
FXcoin	○	×	○	LTC、BCH
OKCoinJapan（オーケーコイン・ジャパン）	○	○	×	BCH、ETC、LTC
CoinBest（コインベスト）	○	○	×	

2021年3月現在

ネットで簡単！取引口座を開こう

Ⓑ 承認に数日かかる場合も

仮想通貨の売買は、口座を開くところからスタートします。信用度や取り扱っている通貨の種類などで口座を作りたい取引所を決めたら、さっそく手続きを進めましょう。

口座開設に必要なものは、氏名やメールアドレスなどの個人情報と、本人確認のための書類です。本人確認書類は、運転免許証やパスポートなど。手続きの際にアップロードしますので、スマホのカメラ機能で写真に撮るかスキャンしてデータ化しておきましょう。

開設までの流れは取引所によって異なりますが、基本的な流れは左の図のようになっています。

アップロードした本人確認の書類をもとに審査が行われ承認されると、**口座を有効化させるパスワードが書かれたハガキ**が届きます。パスワードを入力すると口座が有効になりますので、資金を入金し、売買がスタートできます。

取引所によっては、アプリを使って即日開設することもできます。

Check！

2段階認証を設定しよう

2段階認証とは、口座にアクセスするためのパスワードを2つ設定し、セキュリティを強くする方法です。多くの取引所が推奨しており、資産を守るためにも必ず設定するようにしましょう。

口座開設の流れ

①メールアドレスの登録
GoogleやYahoo!などのフリーメールでもアカウント登録ができる。

▼

②登録したアドレスに送られてくるリンク先へ行き、パスワードを設定

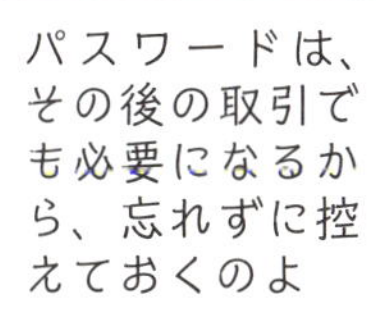

▼

③利用規約などを読み、同意する
! 利用規約には必ず目を通す。

▼

④住所、氏名など基本情報を入力

▼

⑤取引の目的などを入力（選択）

▼

⑥本人確認の書類をアップロード
【本人確認書類の一例】
・マイナンバーカード（写真付き）
・運転免許証
・パスポート（日本国が発行する旅券）　など

▼

取引所による審査・承認後、口座が開設

! 口座開設の審査などに、2～3日かかる場合がある。

口座の開設や維持にかかる費用は、基本無料だよ

現物取引とレバレッジ取引の違いは？

通貨の売買方法は2種類ある

口座に資金を入金したら、買いたい通貨を選んで注文を出します。

その際に覚えておきたいのは、仮想通貨の売買には、**現物取引とレバレッジ取引**という2種類の方法があるということです。

現物取引は通貨そのものを買うことを指します。つまり、洋服や食料品を買うのと同じで、お金を払って通貨を購入し、購入したら通貨が手に入ります。この時点で、通貨は自分のものになりますので、値上がりしたときに取引所で売ることもできますし、仮想通貨で払える商品やサービスがあったときに、手持ちのコインで決済することもできます。

手持ち資金以上の取引ができる

レバレッジ取引のレバレッジとは「てこ」を意味する単語です。取引所に預けているお金（証拠金）に、てこの原理を効かせ、**預けたお金よりも多い額の通貨を買うことができる取引方法**です。

レバレッジ取引の結果、利益が出た場合はその分のお金が口座に入金され、損した場合は証拠金から清算されます。

レバレッジ取引では現物の通貨を保有しません。そのため、**商品などの決済には使えず、将来的に取引所などで売ることが目的**になります。

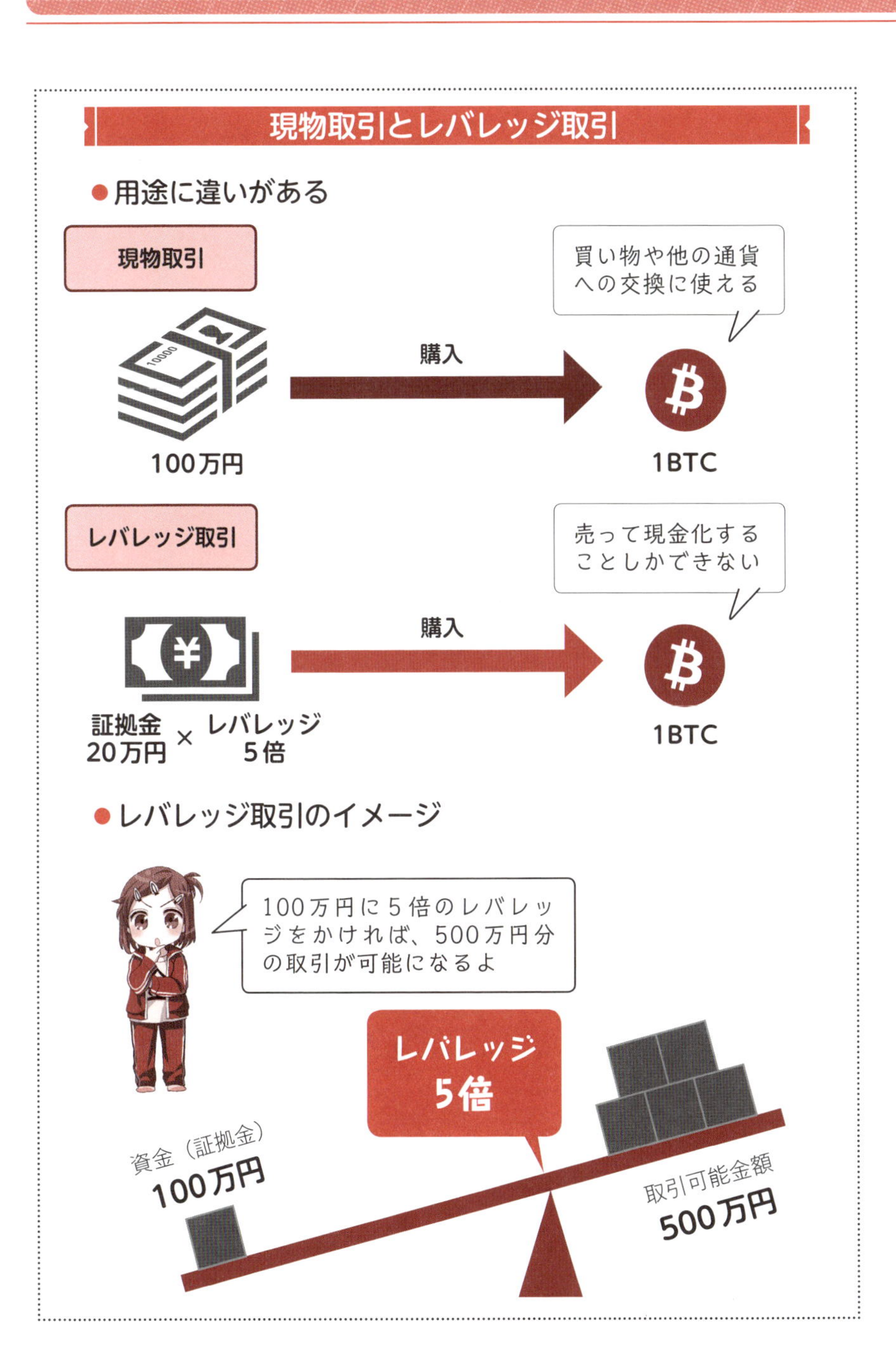
現物取引とレバレッジ取引
●用途に違いがある
現物取引
買い物や他の通貨への交換に使える
購入
100万円
1BTC
レバレッジ取引
売って現金化することしかできない
購入
証拠金
20万円
×
レバレッジ
5倍
1BTC
●レバレッジ取引のイメージ
100万円に5倍のレバレッジをかければ、500万円分の取引が可能になるよ
レバレッジ
5倍
資金（証拠金）
100万円
取引可能金額
500万円

賢く使えば爆益？レバレッジ取引の特徴

利益と損失が両方大きくなる

例えば、10万円の現物取引で購入できる通貨は最大10万円です。しかし、レバレッジ取引でレバレッジを2倍に設定すれば最大20万円、レバレッジ5倍なら最大50万円まで通貨を買うことができます。

買った通貨が値上がりしたときの利益にもレバレッジがかかります。現物取引で1万円の利益が生まれる場合、レバレッジ2倍なら2万円、レバレッジ5倍なら5万円の利益が得られるのです。

ただし、損失にもレバレッジがかかります。つまり、現物取引で1万円の損失が出るとき、レバレッジ2倍なら2万円の損失が発生し、レバレッジ5倍なら、価格が2割下がるだけで証拠金がなくなります。

仮想通貨は値動きが大きいため、短期間で2割ほど値下がりする可能性も十分考えられるでしょう。

始めは倍率を低くしよう

このように、リターンとリスクが両方大きくなるのがレバレッジ取引の特徴です。相場の急変などによって大きく損する可能性を避けるためにも、まずは現物取引からスタートするのが無難です。

また、レバレッジ取引を行う場合も、倍率を低く抑えながらリスク管理を重視することが大切です。

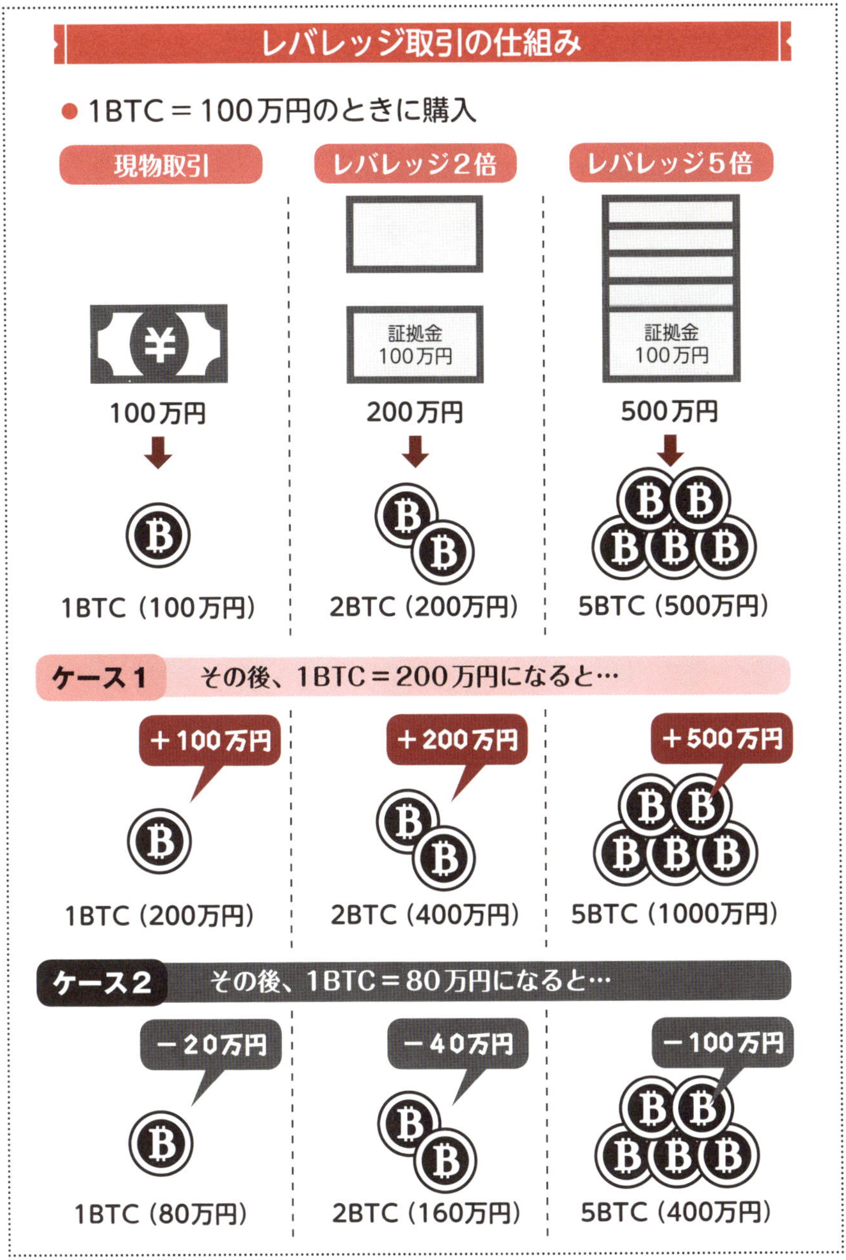

レバレッジ取引の仕組み

● 1BTC＝100万円のときに購入

現物取引	レバレッジ2倍	レバレッジ5倍
	証拠金 100万円	証拠金 100万円
100万円	200万円	500万円
1BTC（100万円）	2BTC（200万円）	5BTC（500万円）

ケース1 その後、1BTC＝200万円になると…

現物取引	レバレッジ2倍	レバレッジ5倍
＋100万円	＋200万円	＋500万円
1BTC（200万円）	2BTC（400万円）	5BTC（1000万円）

ケース2 その後、1BTC＝80万円になると…

現物取引	レバレッジ2倍	レバレッジ5倍
－20万円	－40万円	－100万円
1BTC（80万円）	2BTC（160万円）	5BTC（400万円）

使い分けたい指値注文と成行注文

注文方法は2通りある

仮想通貨の注文は、**指値注文と成行注文**に分けることができます。

指値注文は、**買いたい（売りたい）価格を指定する注文方法**のことで、市場の取引価格が指値した金額に到達すると、売買が成立します。指値注文は自分の希望した金額で売買できますが、相場からかけ離れた金額を設定してしまうと、なかなか売買が成立しないというデメリットもあります。

一方の成行注文は、買値（売値）を指定せずに売買する注文方法で、**注文を出したときに、取引所に出ている最も安い（高い）価格で売買が成立します**。売り注文が出ていれば必ず売買が成立しますので、指値注文のように買い損ねることはありません。ただし、最終的な購入価格は売買が成立するまでわかりませんので、思っていたよりも高い価格で買ってしまう可能性もあります。リスクを抑えるためには「板（左ページ参照）」を確認して買値（売値）の目安をつけるとよいでしょう。

Check!

指値取引での注意点

指値で購入できたということは、価格がそこまで下がったことを示します。そのため、**価格は下落傾向にある**と見ることができ、購入価格からさらに下がって損失が出る可能性があることに注意しましょう。

指値注文と成行注文

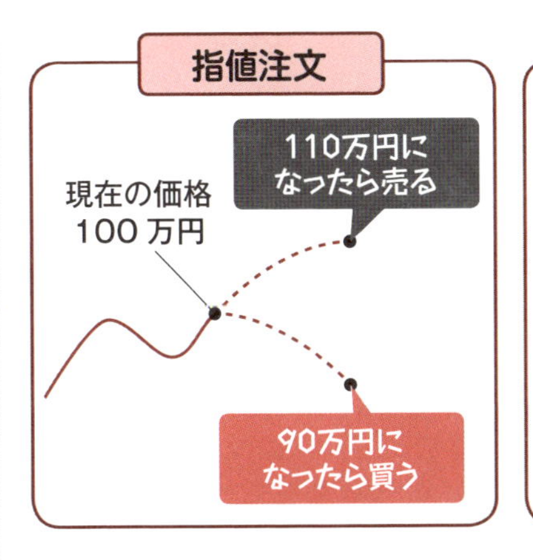

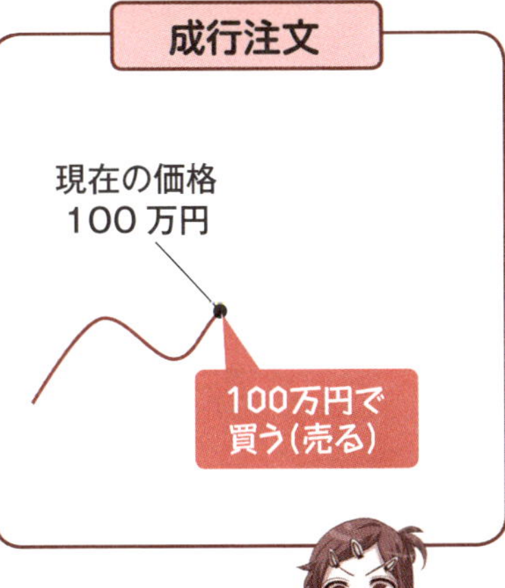

指値注文は現在の価格より
上下の価格で注文するんだね

板とは

板とは、売り買い双方の指値注文を価格順に並べたものです。真ん中の価格をはさんで、売りたい人の注文と買いたい人の注文の両方の取引希望内容がわかります。

売り数量	気配値	買い数量
0.0908	1089980	
0.0015	1089975	
3.1508	1089660	
	1089645	0.1350
	1089580	0.0015
	1089515	0.0500

NO脱税！確定申告を忘れずに

利益が20万円以上なら確定申告

現物取引でもレバレッジ取引でも、仮想通貨で得た利益には税金がかかります。利益額が**20万円を超えた場合は、翌年の3月に確定申告する必要があります**ので、内容をおさえておきましょう。

注意したいのは、自分で申告するという点です。株の場合、特定口座の「源泉徴収あり」を選択していれば、利益にかかる税金が自動的に計算され、税金が口座から納付されます。源泉徴収は、簡単にいえば税金の天引きシステムのようなもので、自分で計算したり申告する手間がかかりません。

しかし、仮想通貨の利益は源泉徴収されません。そのため、**自分で確定申告書を作成し、税務署に提出する必要がある**のです。

利益は雑所得に計上

また、株や為替で得た利益にかかる税金は20・315％で、ほかに給料などによる所得があっても納付する税額は変わりません。

一方、仮想通貨の利益は「雑所得」となり、**給料などと合算した上で所得税を計算**します。この方法を総合課税といい、総合課税では所得の額に応じて税率が高くなります。ちなみに、税率は最高で45％（住民税を含めると55％）となります。ただし、給料などと合わせて695万円以下であれば、株などの利益にかかる税率とほぼ変わりません。

仮想通貨における税金

仮想通貨による利益は給与などと合算され、その課税所得金額により税率が決まります。

課税される所得金額	税率	控除額
195万円以下	5%	0円
195万円超、330万円以下	10%	97,500円
330万円超、695万円以下	20%	427,500円
695万円超、900万円以下	23%	636,000円
900万円超、1,800万円以下	33%	1,536,000円
1,800万円超、4,000万円以下	40%	2,796,000円
4,000万円超	45%	4,796,000円

利益が20万円以下の場合には、確定申告の必要はない。

●具体的なケース

ケース1 ¥➡B 仮想通貨を売却した場合

100万円で1BTCを購入後、110万円で売却した。

110万円 − 100万円 = 10万円
(利益) (雑所得)

ケース2 B➡🎁 仮想通貨でサービスや物を購入した場合

80万円で購入した1BTCが、160万円に値上がりした後、80万円の商品Bを0.5BTCで購入した。

80万円 − (80万円÷1BTC) × 0.5BTC = 40万円
(商品Bの値段) (1BTCあたりの購入金額) (支払ったBTC) (雑所得)

ケース3 B➡B 仮想通貨で仮想通貨を購入した場合

100万円で購入した1BTCが、300万円に値上がりした後、300万円の仮想通貨Aを購入した。

300万円 − 100万円 = 200万円
(仮想通貨A購入による利益) (投資額) (雑所得)

それじゃ突撃してみようかな？

Part

2

ビットコインとアルトコイン 本当に儲かるコインって？

OPEN
よく知りもしないくせに大金つぎ込むからこんなことになるのよ
金
もり子@morimori
コインアカウントの仮想通
すべて盗まれました。
貯金すべてなくなりました。
仕事ください
少しは反省した？

順調に儲かってたし…
それに仮想通貨は
株に似ている
ところも…
カタ
カタ
パンサー川島
投資セミナー
ビギナーズラック
じゃないの？

私のセミナーで
一から勉強し直せば？
安くしとくわよ
ピラ
パンサー川島
投資セミナー

さらに
はめ込もうと
しないでください！

チリン
チリン

あのー…

もり子ちゃん
ですか？

うわぁ～かわいい
やっぱり私の思ったとおりだ！
テレビと全然変わんな～い！
あ！私アリスっていいます
えっテレビ…？
知らなかったの？あなたニュースに映ってたわよ
全国区の
ねえもり子ちゃん！

今日はあなたをスカウトしに来たの！
へ？スカウト？
実は私 仮想通貨アイドルとしてYour tubeで活動してるんだ
今日会って確信した
もり子ちゃんは見た目も可愛いし話題性もある！
私たちが組んだら絶対売れるから!!
盗まれたお金だって取り戻せるよ!!
いいやぁ…ついこないだ大損したばっかだし
私 仮想通貨はもう…
何いってるの!!
あれは仮想通貨が悪いんじゃないよっ
え？

コインアカウントの被害総額は約580億円
しかもたった20分で盗まれたの!!
この事件の一番の原因は取引所が仮想通貨を〝ホットウォレット〟で保管していたこと!
オンライン接続してる取引所・PC・アプリ等
ON
ハッカー
取引所
トビラ開けっぱなし状態!!
〝コールドウォレット〟で保管していたらこんなことにはならなかったはずだよ
周辺機器
紙
OFF
オフラインだから入れない
取引所
安全性が高い!!
この方法はオンライン状態で保管するから不正アクセスを狙うハッカーに狙われやすいの
こっちはオフライン状態で保管するから安全性が高いんだ

金融庁も推奨してたのに従っていなかったコインアカウントが悪いよ！
ホットウォレット？コールドウォレット？？
じゃあなおさら私とアイドルするべきだよ！
……もり子ちゃんて本当に何も知らないんだね
ぐさっ
ぅぐっ
なんでっ!?
実は私 仮想通貨の仕組みは詳しいんだけど売買は苦手で…
2人で協力し合えば無敵のトレーダーになれるよ！
無敵のトレーダー…

可愛くて賢いとか神か
最強トレーダーアイドル!!
今回も勝ったんだ！すごーい
かわいい
かわいい～
888888888
なれるかな…
なれるかも…？
ううん
なれる！
絶対!!
まさか真に
受けてないわよね？
ロクなことに
ならな…
お願い
します!!
が
し
ニッ
本気なの？
よーし
やるぞー!!

そうだ！
友達になってくれた
お礼に このコインを
あげるね
始めたころに
買ったんだけど
全然 上がらないし
お友達の
印だね
すごーい
こんなことも
できるんだ！
それじゃあ
2人で一緒に
がんばろー！
おー！

ネットアイドルねぇ～
美人

何かウソくさいんだよなあ
そそこはひとまず置いといてってば
毎度のことながら私はあんたが心配なんだよ
同じく…
とにかく今日は株仲間ってことで2人のことも紹介するから！

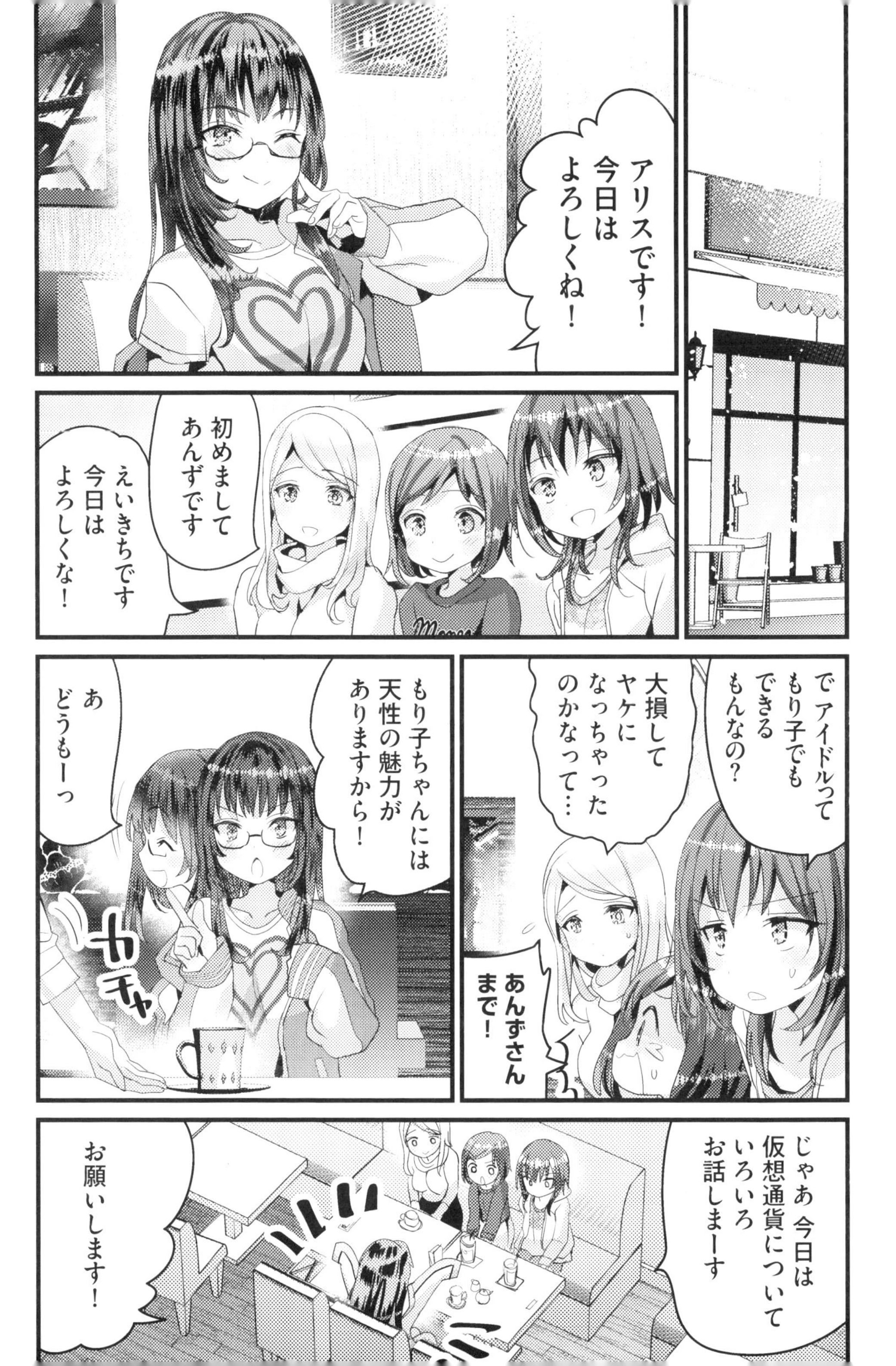
アリスです！
今日は
よろしくね！
初めまして
あんずです
えいきちです
今日は
よろしくな！
でアイドルって
もり子でも
できる
もんなの？
大損して
ヤケに
なっちゃった
のかなって…
あんずさん
まで！
もり子ちゃんには
天性の魅力が
ありますから！
あ
どうもーっ
カチャ
じゃあ今日は
仮想通貨について
いろいろ
お話しまーす
お願いします！

仮想通貨は大きく分けて2種類！
ひとつは“ビットコイン”
Bitcoin
もうひとつは“アルトコイン”
Altcoin
アルトコインはビットコイン以外の仮想通貨を指します
アルトコインは今も増え続けていて2000種類以上あるっていわれてるの
じゃんっ
に2000!?
でも日本の取引所で売買できるのは10種ぐらいだから安心して
たとえばイーサリアム（ETH）や
時価総額はアルトコインでも1,2を争う
リップル（XRP）
さまざまな種類の通貨の送金が可能
日本発祥のモナコインとかがあるよ
ビットコインよりも取引スピードが速い
株式は3700種以上あるよね
そうそう株式に比べたら全然少ないよね

種類は少ないかもしれないけど
各コインの特徴はつかんでおかなきゃダメだよ！

株だって決算書とかを見て買う買わないを判断するものね

仮想通貨もファンダメンタルズ分析とテクニカル分析が必要ってことか…

ってどうした！もり子!?
ズゥーーー
大丈夫？もり子ちゃん
だ 大丈夫
ちょっと考えごとをしてただけだから…

…私
コインの特徴とか
全然調べてなかった
チャートばっか
気にして
売買してたなぁ
……
まあまあ
まずは代表的な
コインの特徴
から勉強しよ♥

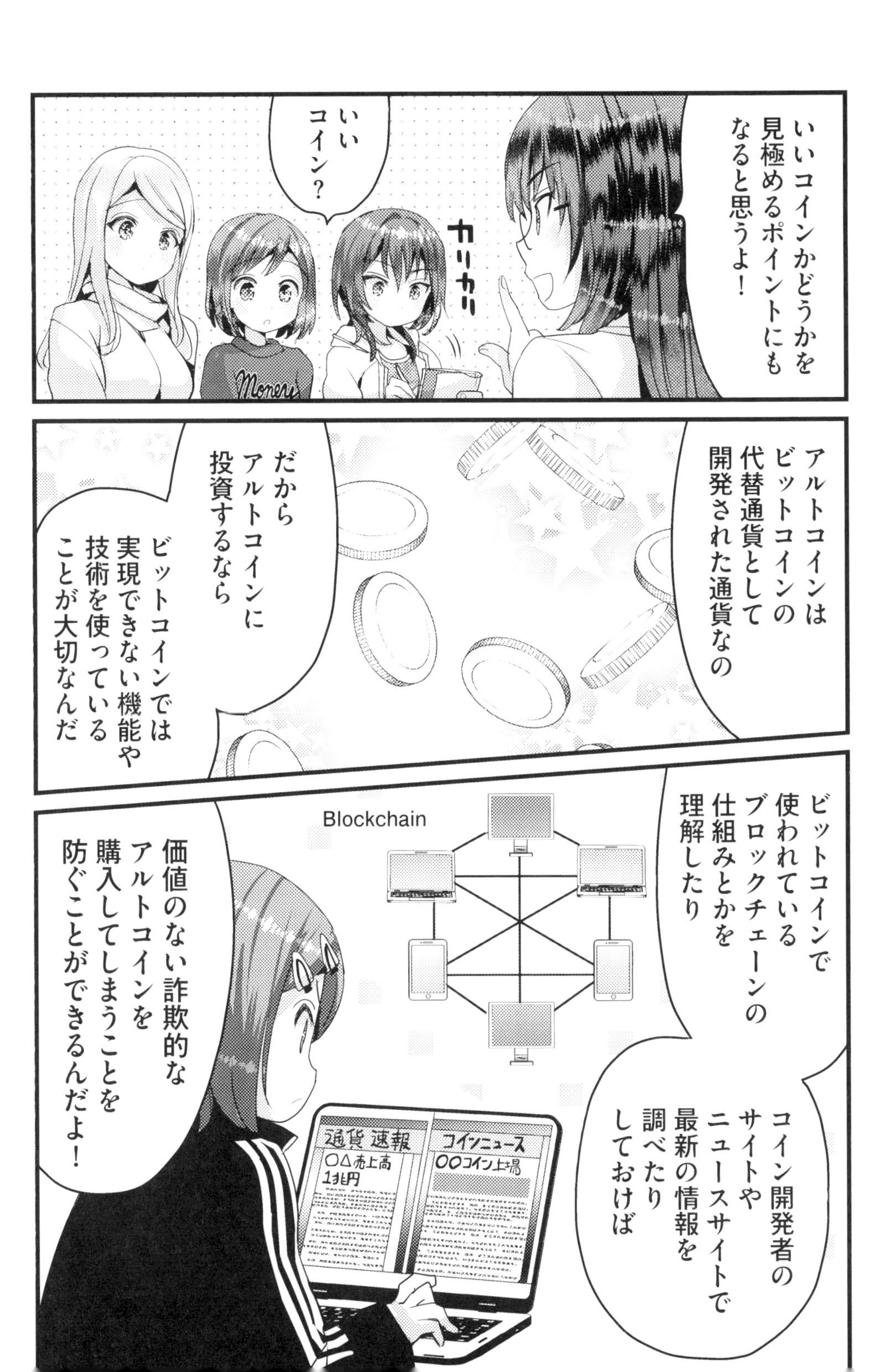
いいコインかどうかを見極めるポイントにもなると思うよ！
カリカリ
いいコイン？
アルトコインはビットコインの代替通貨として開発された通貨なの
だからアルトコインに投資するなら
ビットコインでは実現できない機能や技術を使っていることが大切なんだ
ビットコインで使われているブロックチェーンの仕組みとかを理解したり
Blockchain
コイン開発者のサイトやニュースサイトで最新の情報を調べたりしておけば
価値のない詐欺的なアルトコインを購入してしまうことを防ぐことができるんだよ！
通貨速報
○△売上高
1兆円
コインニュース
○○コイン上場

とはいえ 市場は
ビットコインを中心に
動いていて
ビットコインが下落すると
アルトコインもつられて
下落するから注意してね
ああああああ
ああああ
ヒェ
MONACOIN
…と
今日はこんな
ところかな
アリスちゃん
ありがとう!
えへへ
みんなの役に
立てたら嬉しいな
後日
よしたけ
駄菓子・おもちゃ
ミニスター
ラーメン
リップルが普及すると
送金コストが
安くなるのかぁ…
ハードバンクが
ブロックチェーン技術を
活用した決済サービスの
開発を開始ね…

カキ
カキ
Tmitterの様子はどうかな

カチ…
購入
よし…購入！

う～んリップルの売買が話題だなー
リップルのターン来てるわー
5分
種田 taneseed
リップルつよーー
10分
ビタミン bitab
ripplerでよかった
私もここで買っておくべきか…

もーダメだよっ
GO!
仮
GO!!
いけない！ここはやっぱり慎重に…！
うう～でも買い時な気も…
あーどうしよー!!

仮想通貨の王様「ビットコイン」

ビットコインとアルトコイン

仮想通貨には複数の種類があります。通貨にはそれぞれ特徴があり、似たようなタイプのものがあれば、同じ通貨でも機能や目的が大きく異なるものもあります。

分け方としては、まずビットコインとそれ以外という基準で見ることができます。

ビットコインは仮想通貨のなかで最も知名度が高く、取引量も多い通貨です。技術的な仕組みや特徴についてはＰａｒｔ４で説明しますが、ブロックチェーンを使ったプログラムを確立したのもビットコインであり、**ビットコインがなければ今の仮想通貨市場はなかった**といっても過言ではありません。

アルトコインは「代わり」

一方、ビットコイン以外の通貨はアルトコインと呼ばれ、その多くがビットコインのプログラムを改良することによって誕生しています。アルトコインのアルトは「代わり」という意味で「ビットコインの代わりになるコイン」と位置づけられているわけです。

改良点としては、例えば、**ビットコインより多くの情報をやりとりできたり、通貨を使用したときなどの承認作業が短縮されていたりします**。

ビットコインと、どこが違い、何ができるかを知ることがアルトコインの選択に大きく影響します。

ビットコインとアルトコイン

●ビットコイン

代表的な仮想通貨の１つ。現在の仮想通貨のプログラムの基礎を確立した。

●アルトコイン

Alternative Coin（代替のコイン）の略称。ビットコイン以外の仮想通貨の総称。現在、2,000種類以上の仮想通貨があるといわれている。

アルトコインの目利きを磨け！

ビットコインとの違いをチェック！

アルトコインはビットコインの代わりを果たす通貨です。そのため、中期～長期で社会に浸透していくためには、または、その可能性を見すえて買うのであれば、**ビットコインと違う特徴を持っている通貨を選ぶことが重要**です。また同じ機能があったとしても、ビットコインよりも性能がいいことを確認しなければならないでしょう。

そこでポイントとなるのが、ビットコインの仕組みや課題を把握することです。

例えば、ビットコインにはスケーラビリティ問題という課題があります。この課題を解決できる通貨があれば、ビットコインの代わりに普及するかもしれません。

このような視点で、各アルトコインの長所を比較していくことが大切です。すでに流通している通貨はインターネット上で特徴を知ることができますし、これから発行される通貨であれば、**ホワイトペーパーと呼ばれる資料で特徴や機能を知ることができます**。

Check！

スケーラビリティ問題

ブロックチェーンに記録するデータ量が増えたときなどに、処理する作業が追いつかなくなってしまう問題のこと。ビットコインの場合は1ブロックに最大1MBの取引データまでしか記録できないことが要因となっています。

ホワイトペーパーとは

●ホワイトペーパー

もともとは、政府が公開する文書・報告書を指す「白書」

▼

企業による自社製品・サービスに関する内容をまとめた報告書

▼

仮想通貨の分野では、発行する仮想通貨の企画や予想される市場規模、使われている技術的な内容などの情報をまとめた報告書のこと

ホワイトペーパーには、企画やその意図、プロジェクトの進め方、使われている技術などが書かれている

●代表的な仮想通貨のホワイトペーパー（URL）

ビットコイン（BTC）	https://bitcoin.org/bitcoin.pdf
イーサリアム（ETH）	https://github.com/ethereum/wiki/wiki/%5BJapanese%5D-White-Paper
リップル（XRP）	https://ripple.com/files/ripple_consensus_whitepaper.pdf

ビットコインとイーサリアムの仕組みを知っておくことが、ホワイトペーパーを解読する第1歩よ

仮想通貨は情報収集が勝負！

ネットをフル活用しよう！

アルトコインのなかには、機能や斬新さが評価されて金融機関の送金手段に採用されたり、売買できる取引所が増えたりするものがあります。そのような情報を把握することも、アルトコイン投資では重要なポイントになるでしょう。

そこで活用したいのが**仮想通貨関連のニュースサイト**です。

例えば、コインテレグラフやBTCNなど**ビットコインとアルトコインの情報を日々発信している**サイトを読むことで、気になる通貨の近況を知ることができますし、無数にあるアルトコインのなかで、注目を集めつつある通貨を発見できるかもしれません。

ツイッターは参考程度に

さらに積極的に情報収集したい場合は、仮想通貨取引をしている投資家のツイートなどを見てみることもできるでしょう。

２０１７年に仮想通貨市場が盛り上がって以来、仮想通貨を売買する人は急激に増えました。株や為替の取引は、かねてから個人投資家たちがツイッターで情報交換などをしてきましたが、仮想通貨も同じです。

ただし、個人のツイートには信頼性に乏しいものも含まれるため、**ツイートの内容などを鵜呑みにするのは危険です**。通貨選びの参考程度にしておきましょう。

仮想通貨関連ニュースサイト

●仮想通貨を取り扱うニュースサイトの主な一覧

コインテレグラフジャパン	https://jp.cointelegraph.com/
bitbank	https://markets.bitbank.cc/
Coinpost	https://coinpost.jp/
CoinChoice	https://coinchoice.net/

出典：「コインテレグラフジャパン」（https://jp.cointelegraph.com/）

「アメリカの機関投資家の動きを見る」とか、「イーサリアム関連のニュースを見る」みたいに、最初のうちは自分が興味あるポイントに絞って見るほうがいいかもね

イーサリアム／イーサリアムクラシック

メジャーなアルトコイン①

流通量が多いアルトコイン

アルトコインのなかでも流通量が多いイーサリアム（ＥＴＨ）は、スマートコントラクトという機能を実装している点が特徴です。スマートコントラクトは「賢い契約」という意味で、簡単にいえば**契約を自動化すること**を指します。

例えば、他人と売買する場合、信用できるかという不安や、だまされるかもしれないというリスクが生じます。高額取引の場合は相手の信用調査などを第三者に頼むこともあるでしょう。しかし、スマートコントラクトがあれば、取引の条件やルールの設定ができます。結果、不正取引が防ぎやすくなるとともに、契約や支払いに関わる人と時間が削減できるのです。

イーサリアムともとは同じ

イーサリアムと似た名を持つイーサリアムクラシック（ＥＴＣ）も同様の機能を持っています。この2つはもともとイーサリアムという同じ通貨でした。しかし、ハッキング事件をきっかけに、２０１6年に分裂（ハードフォーク／１１４ページ参照）し、別の通貨になりました。

取引量や用途の拡張性などの面ではイーサリアムのほうが上ですが、イーサリアムクラシックは拡張性を抑えている分、**セキュリティ面で優れている**といわれています。

イーサリアム／イーサリアムクラシック

イーサリアム（ETH）	
上場時期	2015年8月
時価総額	約19兆7,000億円
公式HP	https://www.ethereum.org/

●イーサリアム/円チャート（月足）

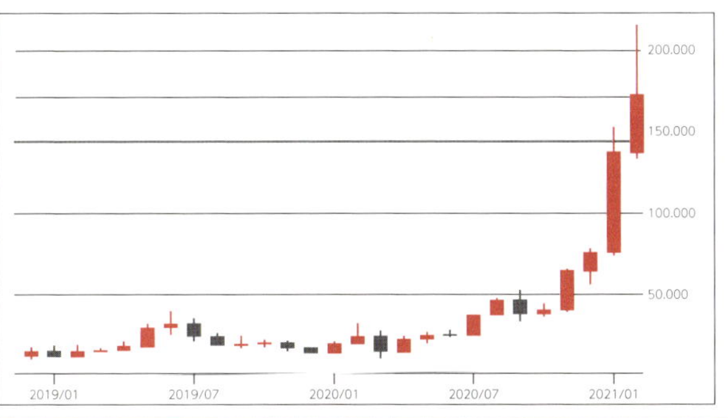

イーサリアムクラシック（ETC）	
上場時期	2016年7月
時価総額	約1,470億円
公式HP	https://ethereumclassic.github.io/

●イーサリアムクラシック/円チャート（月足）

メジャーなアルトコイン②
リップル／ビットコインキャッシュ

送金に特化した通貨

リップル（XRP）も人気のあるアルトコインの1つで、時価総額（取引価格×取引数量）が高い通貨です。

リップルは、送金や決済に特化した通貨で、2013年に誕生しました。インターネット環境が発達している現代では、メッセージや画像を瞬時に遠くにいる相手に送ることができ、そのためのコストもほとんどかかりません。同じようなことを資産のやりとりでも行えるようにすることがリップルの目標です。

銀行など海外送金を扱う金融機関にも注目されているので、導入事例が増えたり、実用化が進むことなどが通貨の価値に大きく影響します。

ビットコインの課題を解消

ビットコインキャッシュ（BCH／BCC：販売所や取引所によって表記が異なる）は、2017年にビットコインから分裂した通貨です。

仕組みはビットコインと似ていますが、いくつかの改良点もあります。その1つがブロックのサイズです。ビットコインは1ブロックあたり最大1MB（メガバイト）のデータまでしか入りませんが、ビットコインキャッシュは32MBです。この変更によって、**取引数が増えたときでも承認速度が低下しない通貨**を目指しています。

リップル／ビットコインキャッシュ

	リップル（XRP）	
	上場時期	2013年8月
	時価総額	約2兆3,500億円
	公式HP	https://ripple.com/

●リップル/円チャート（月足）

	ビットコインキャッシュ（BCH/BCC）	
	上場時期	2017年7月
	時価総額	約1兆600億円
	公式HP	https://www.bitcoincash.org/

●ビットコインキャッシュ/円チャート（月足）

メジャーなアルトコイン③
ライトコイン／ネム

ビットコインより実用性が高い

ライトコイン（LTC）は、ビットコインのソースコードをもとに誕生したアルトコインのなかでは古株に入る通貨です。もとのコードが同じですので、機能面でもビットコインと共通する部分が多くあります。

ただし、**送金の面でビットコインを上回る**部分もあります。例えば、ビットコインは1ブロック作られるまで約10分かかりますが、ライトコインは2~3分です。

また送金の手数料を比べてライトコインの手数料のほうが安く設定されています。そのため、市場では実用性の高さが評価され、コミュニティ内でのやりとりで多く使われているほか、今後は小売店などでの普及も期待されています。

新規発行がない

ネム（XEM）は、2015年に発行された通貨です。前述のライトコインは米国で人気があるのに対し、ネムは日本で人気が高いという特徴があります。通貨の機能としては、ブロックが作られる時間が約1分と短い点、発行総量が決まっていて、**新規の通貨発行がない**点が特徴といえるでしょう。

また、ビットコインのマイニング（144ページ参照）にあたる作業はハーベストと呼ばれ、1万XEM以上保有すれば誰でも参加できる仕組みになっています。

用語解説
※**マイニング**：ビットコインの維持、管理に関する作業のこと。

ライトコイン／ネム

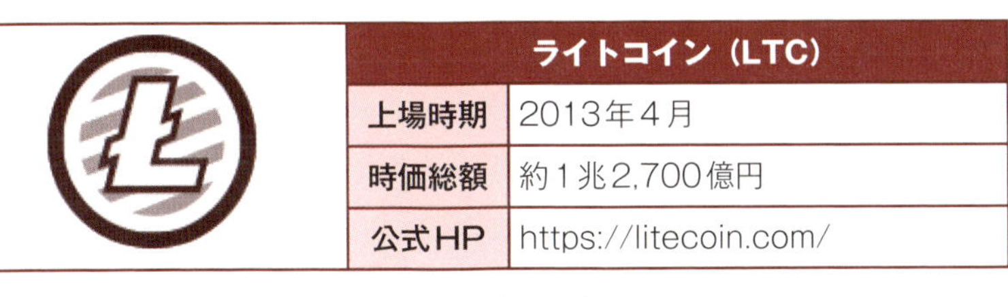

ライトコイン（LTC）	
上場時期	2013年4月
時価総額	約1兆2,700億円
公式HP	https://litecoin.com/

●ライトコイン/円チャート（月足）

ネム（XEM）	
上場時期	2015年3月
時価総額	約5,200億円
公式HP	https://nem.io/

●ネム/円チャート（月足）

「草コイン」は宝くじ!?

素性の知れないものが多い

アルトコインの種類はたくさんありますが、取引所で盛んに売買されていたり、ニュースサイトに取り上げられるような通貨はせいぜい10種類程度。つまり、アルトコインの大多数はマイナーであり、誰が、どんな目的で作ったのか、よくわからないのです。

このようなマイナーな通貨は「草コイン」と呼ばれ、**知名度や信用度が低いため売買価格も低いのが特徴**です。ただし、通貨の機能や独自性が評価されたり、画期的なユースケース（実用例）ができることで、価格が急騰する可能性もゼロではありません。そのため、投資家のなかにはギャンブルや宝くじに近いような感覚で草コインを買っている人もいます。

詐欺の可能性も

ビットコインなどメジャーな通貨にない特徴があれば、大化けするかもしれませんが、そのような可能性を持つ通貨はあくまでも少数です。また、草コインのなかには、**通貨として流通する見込みが低いものや、普及に向けたビジネスモデルなどがないもの**もあります。それらは、通貨の新規発行（IEO／P166参照）によって投資家のお金を集めることだけを目的とした詐欺的な通貨である可能性がありますので、購入する場合は十分注意するようにしましょう。

草コインの特長

●過去にあった草コインの大化け

バージ（XVG）

2017年７月から約半年間で、バージの価値は約100倍（約0.3円→約30円）にまで高騰した。

バージは高い匿名性や高速決済が注目されて価格が上昇したけど、2017年の流出事件以降は大きく下落したよ

当然、デメリットも…

●ほとんどの草コインは、価値が上がらない（デッドコイン）
●草コインのなかには、詐欺目的で作られた仮想通貨もある（スキャムコイン・詐欺コイン）

草コインへの投資には、十分な注意が必要！

ってどうした！もり子!?
ズゥーーン
大丈夫？もり子ちゃん

Part 3

勝つべくして勝つために 実践！ 私の億り人戦略

第3話 ひょっこり、もり子はん

準備っていってももう資料とかそろってるし大丈夫だよ
ほら
ダメだよもり子ちゃん！記念すべき最初の放送なんだから！
はいこれ
もり子ちゃんのために用意したからこれに着替えて！
ポスッ
衣装？
あ！もうこんな時間配信始めなきゃ！
私が合図を送ったらあっちの部屋に入ってきてね！
着替えもそれまでに済ませておいてね～
衣装っていってたけど…
ゴソゴソ
うっ!!
ぎょっ

さて今日は特別ゲストが来てくれました！
マジ？
誰だ？
あのコインアカウントのニュースに登場していた謎の美少女…
お！特別ゲスト
誰だ？
だれ？だれ？

もり子ちゃんです！
それではもり子ちゃん！どうぞ！
おおおおおおおおおおおおおお
おおおおおおおおおお
キタ━━━(ﾟ∀ﾟ)━━━!!
やったー！
もり子おおおおおおおおお
夢の共演だー
おおお
おおおおおお
おおおおお
マジで！？スゲー！！
しーん…
ガチャ
…もり子ちゃん？
アリスちゃん…本当にこの衣装着なきゃだめ？
だめですっ
ぐいっ
ああっ
ふわん

何で衣装がチアリーダーなの!?
ごめんごめん
今日はチャートについて話してくれるし
えへっ☆
みんなのことを応援してくれる役かなと思ってつい
それにこういうの知らない？
もり子ちゃんもやってみなよ
可愛いよー
ひょっこり
って
アリスちゃんもチアリーダー着て～
アリスちゃんカワイイ
ひょっこり

♥♥♥♥♥♥♥♥
かわいいいい
かわいい〜
カワイイ
可愛
ほんと可愛い
可愛い♥
いいぞー
ぐうかわ
かわいい
もり子ちゃん最高
すでにファン
もり子ちゃん かわいい〜
衣装も似合ってる！
エヘヘ…？
じゃあ皆さん 今日はチャートについて勉強して いきましょう！
そうだった 今日は私が チャートについて 話すんだった！
トン
チャートっていうのは 仮想通貨の値動きを グラフ化したもので
ドキドキ
株やFXの取引でも 使われているよ
チャートについて

これは
ローソク足
といって
日足や週足など
一定期間の
始値 終値 高値
安値を表しています
上ヒゲ
ローソク足
柱
下ヒゲ
価格
高値
始・終値
安値
0
パッキー
うま〜い棒
パッキー
決して
パッキーが刺さった
うま〜い棒ではないので
注意してください！
?

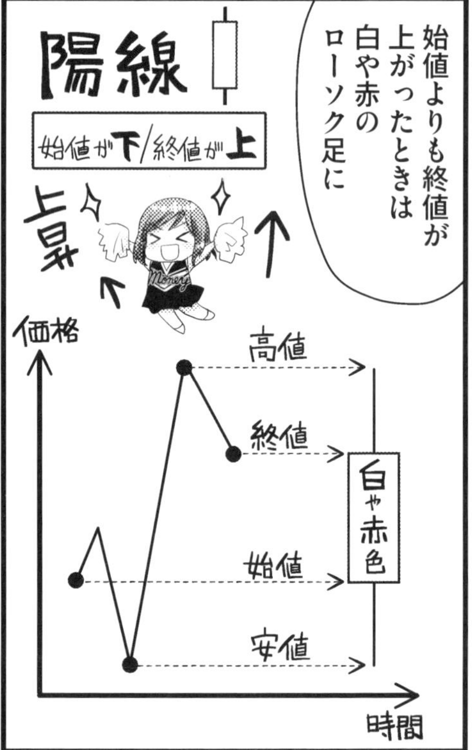
始値よりも終値が
上がったときは
白や赤の
ローソク足に
陽線
始値が下/終値が上
上昇
価格
高値
終値
白や赤色
始値
安値
時間

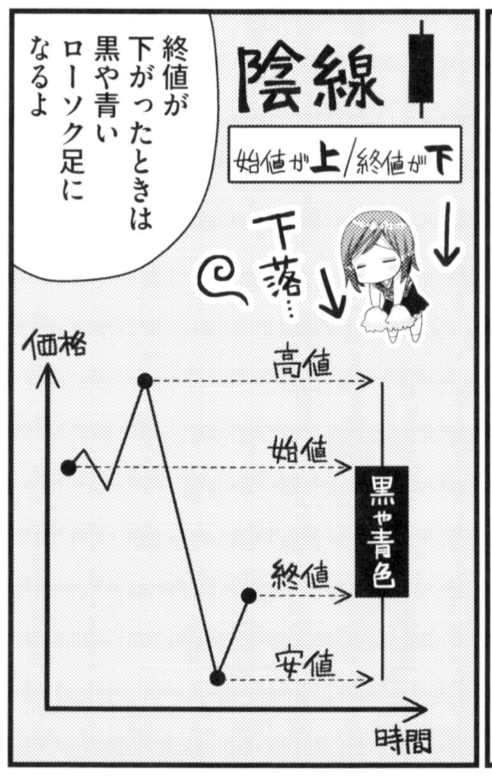
終値が
下がったときは
黒や青い
ローソク足に
なるよ
陰線
始値が上/終値が下
下落…
価格
高値
始値
黒や青色
終値
安値
時間

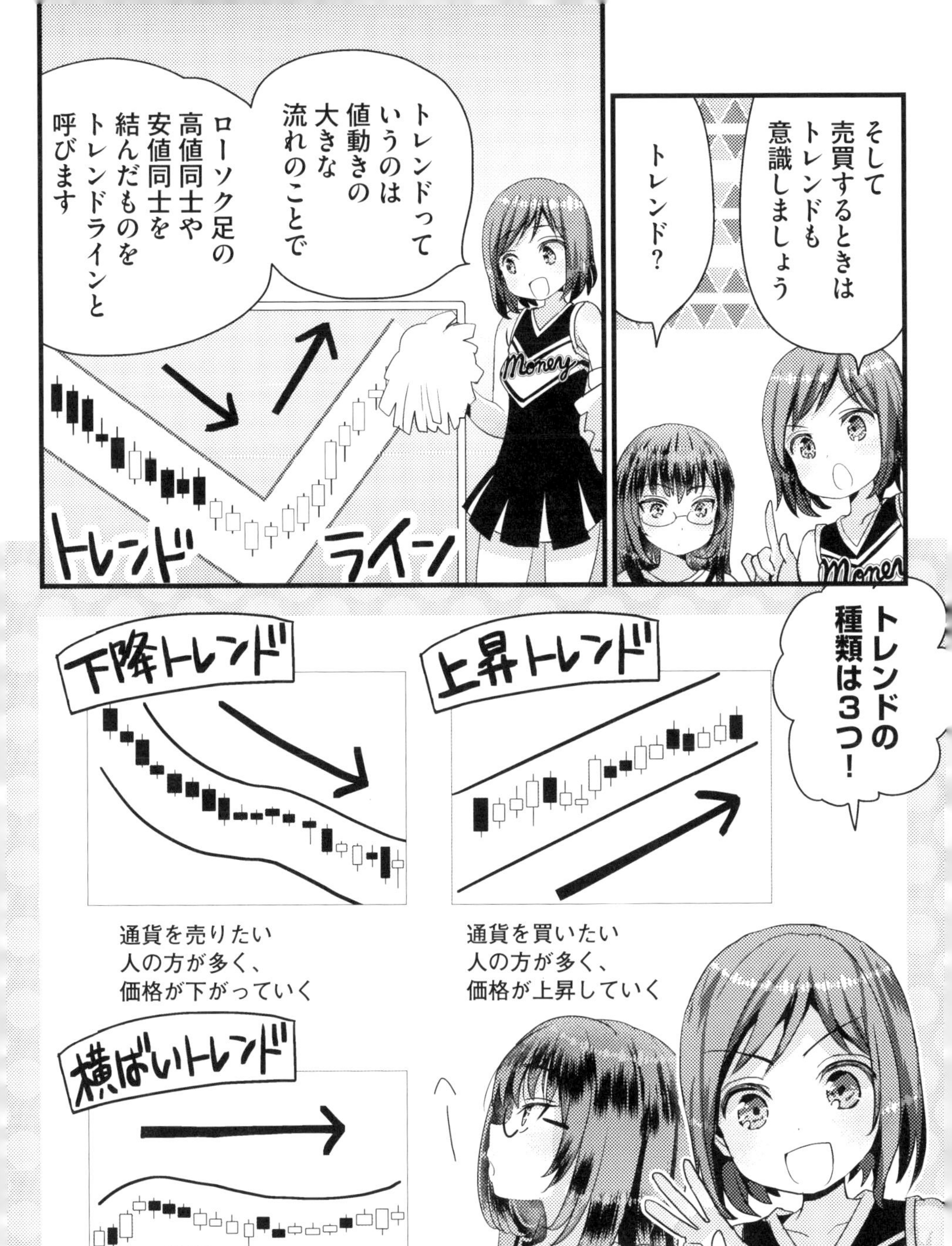

通貨を買いたい
人の方が多く、
価格が上昇していく

通貨を売りたい
人の方が多く、
価格が下がっていく

買いたい人と
売りたい人の
数が拮抗している

トレンドの変わるタイミングって見分けられたりするの？
お！いい質問だね！アリスちゃん

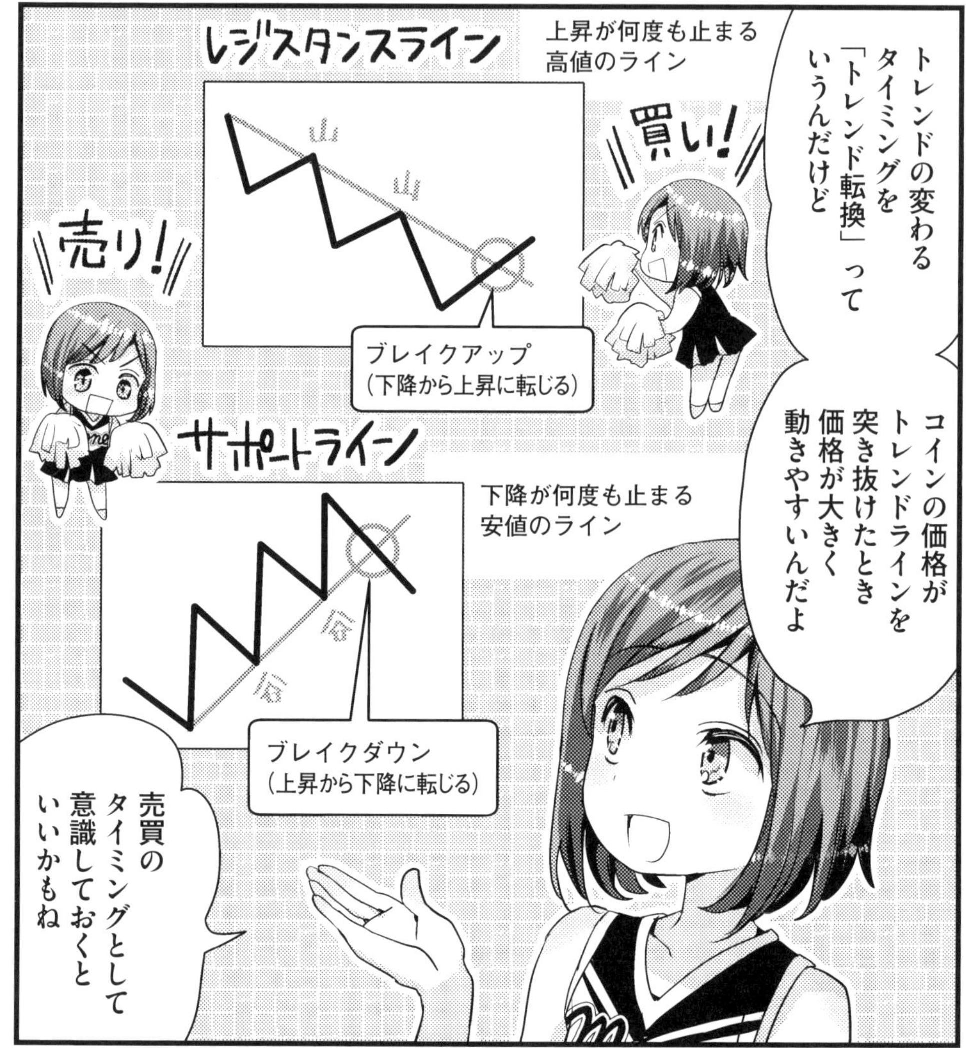
トレンドの変わるタイミングを「トレンド転換」っていうんだけど
コインの価格がトレンドラインを突き抜けたとき価格が大きく動きやすいんだよ
レジスタンスライン
上昇が何度も止まる高値のライン
山
山
ブレイクアップ
（下降から上昇に転じる）
買い！
売り！
サポートライン
下降が何度も止まる安値のライン
谷
谷
ブレイクダウン
（上昇から下降に転じる）
売買のタイミングとして意識しておくといいかもね

以上がチャートとトレンドラインについての説明でした！
なるほど！
なるほど～
勉強になった
なるほど！
88888888

アリスちゃんどうだった…？

パシャ
パシャ
パシャ
パシャ

何してるの？
いやー一生懸命説明するもり子ちゃんがあまりにも可愛くて写真に収めておこうと
はー
あ！
この写真 オフ会のプレゼントにするのもいいかも
私の話ちゃんと聞いてよ！

チャートとローソク足

チャートで未来を予測する

自分が買った仮想通貨（暗号資産）が、将来、確実に値上がりすると思っている投資家はいません。では何を拠り所にして仮想通貨を購入すればよいのでしょうか。

ここで参考となるのが、チャートというものです。**チャートとは過去の仮想通貨の価格の動きをグラフ化したもの**です。このチャートを使って、過去の価格、出来高、時間軸などから、未来の価格を予測し、「買い」もしくは「売り」のタイミングを見極めます。

ローソク足の見方

左ページの図は、「ローソク足チャート」という一般的なチャートの1つです。このローソク足という記号で、「高値」「安値」「始値」「終値」の4つの価格を示しています。

また、ローソク足には、「陽線」と「陰線」という2種類があり、陽線の場合は胴体（柱）の上部が終値、下部が始値となり、陰線の場合は陽線とは逆に、上部が始値、下部が終値となります。

このローソク足の形状には、基本となるパターンがいくつかあり、その**胴体やヒゲの形状によって、さまざまな価格を示しています**。これらのパターンから仮想通貨の値上がりや値下がりの状況を読み解くことができます。

ローソク足チャート

●ローソク足の見方

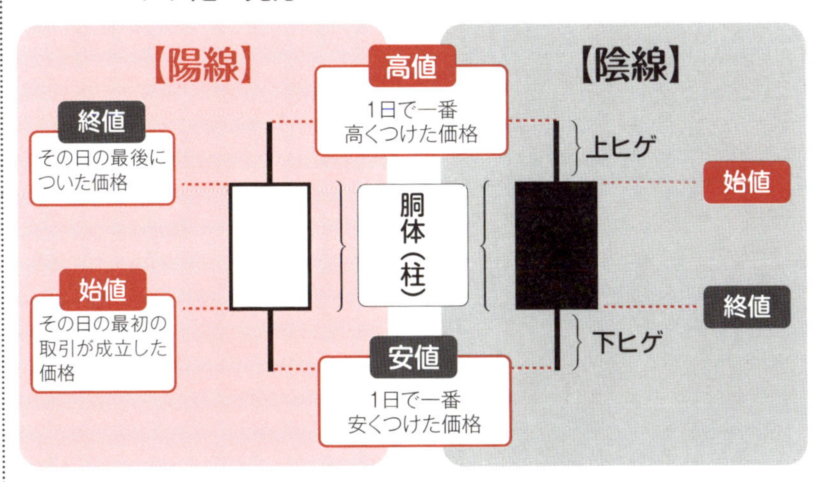

陽線は始値と終値の間の胴体（柱）を白色ないし赤色で示す。

陰線は始値と終値の間の胴体（柱）を黒色ないし青色で示す。

●実際のチャート（ビットコイン／円）

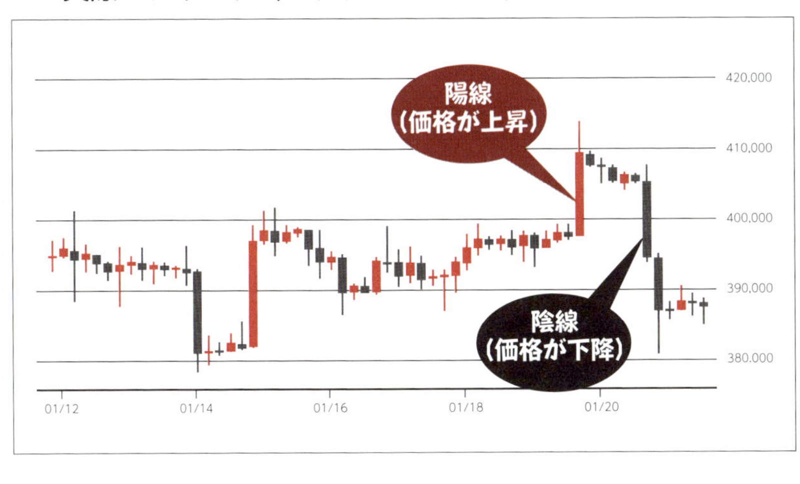

ローソク足の基本パターン

ローソク足の形から値動きを読む

ローソク足は、胴体（柱）の長短によって**「大陽線」「小陽線」「大陰線」「小陰線」**の4つに分けられます。

大陽線は胴体が長く、目安として始値から終値まで5％ほど上昇したときを示すローソク足です。上昇幅がおよそ3％以下のローソク足は小陽線といいます。

下降を示す大陰線と小陰線の区別の仕方も同様です。

また、始値と終値が同じ価格だったときは、胴体のないローソク足になり、これを**「十字線」**といいます。

ローソク足の位置に注目！

大陽線は一般的に今後も株価が上昇するサインです。ただし高値圏と安値圏、上ヒゲ下ヒゲの有無や長さで意味合いが異なります。

例えば、高値圏で上昇が続いたときは、これから下がっていくシグナルとなるケースもあるので注意が必要です。ですから、大陽線の次に出るローソク足がポイントになります。

反対に陰線は下落を示すものですが、**下落が続いたあとに現れる大陰線は、一転して上昇するシグナル**となるケースもあります。下ヒゲや上ヒゲの長さも併せて注意しましょう。

ローソク足の基本パターンとシグナルの見分け方

●ローソク足の５つの基本パターン

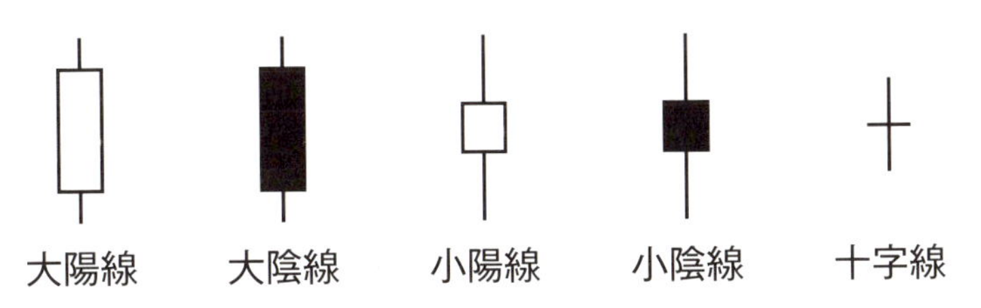

●「買い」のサインと「売り」のサイン

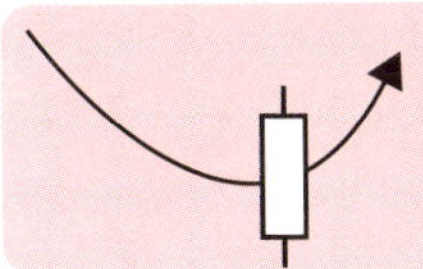

安値圏で大陽線が現れると、上昇のサインとなりやすい。

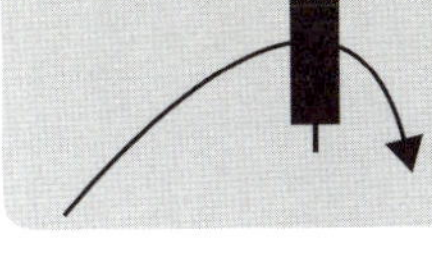

高値圏で大陰線が現れると、反落のサインとなりやすい。

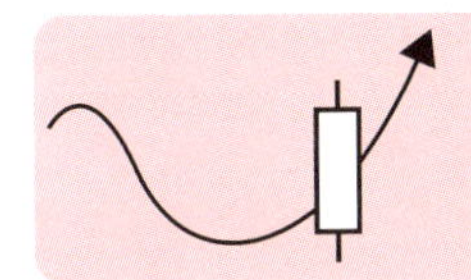

上昇過程で大陽線が現れると、上昇のスピードが増しやすい。

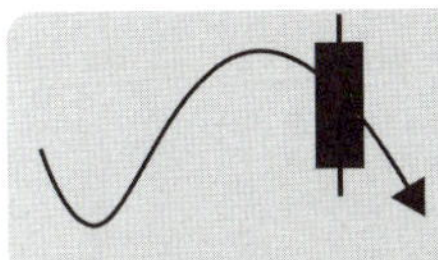

下落の途中で大陰線が現れると、下落のスピードが増しやすい。

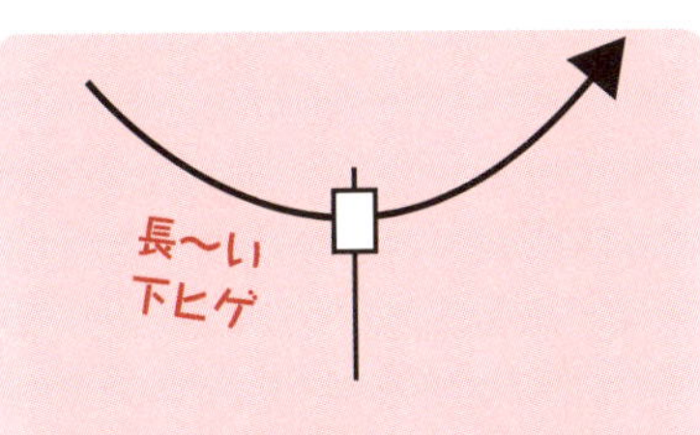

安値圏で下ヒゲが長いローソク足が現れると、反転上昇のサインとなる。

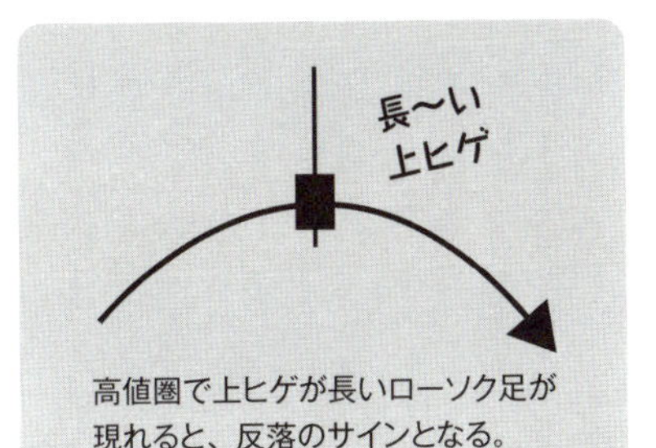

高値圏で上ヒゲが長いローソク足が現れると、反落のサインとなる。

ローソク足が表す時間はチャートによって違う！

表す時間は1分〜1か月

ローソク足チャートにもいろいろ種類があります。その代表的なチャートが「日足（ひあし）」「週足（しゅうあし）」「月足（つきあし）」です。

1つのローソク足で1日の株価の動きを表したローソク足を「日足」、1週間の株価の動きを表したローソク足を「週足」、1か月の株価の動きを表したローソク足を「月足」といいます。

ただし株などと異なり、仮想通貨は24時間365日、常に売買されています。**より細かな動きを把握するニーズがある**ため、1分間ごとの動きを表した「1分足」をはじめ、「5分足」「10分足」「30分足」「1時間足」「4時間足」などのローソク足も存在しています。

投資スタイルによって使い分ける

どのチャートを使うかは、自分の投資スタイルが短期投資か長期投資かによって異なります。

短期間で売買を繰り返していくのであれば、主に使うのは価格の変動を細かく確認できる「分足」「時間足」が適しています。長期的観点で上昇傾向にあるのか、下落傾向にあるのかを把握するためには、「日足」「週足」「月足」などを確認し、俯瞰（ふかん）的に市場状況を把握しましょう。

このように、**複数のチャートを組み合わせる**ことが大切なのです。

さまざまなローソク足チャートを見比べる

● 1分足チャート（ビットコイン／円）

1分足では525～535万円台を上下していることがわかる

● 日足チャート（ビットコイン／円）

日足では350万円から一時600万円まで上昇していることがわかる

● 月足チャート（ビットコイン／円）

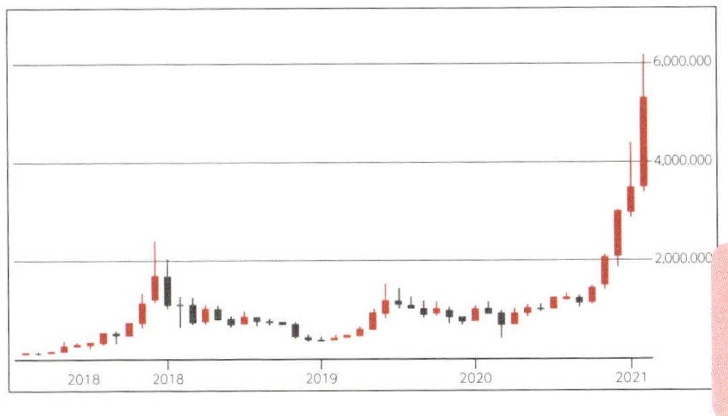

月足では2020年11月以降から大きく値上がりしたことがわかる

価格の流れがわかるトレンドライン

2つのラインからできている

仮想通貨の投資では、ローソク足だけではつかめないトレンド（傾向）を把握することが大事になります。**トレンドラインと呼ばれる価格の流れを表したもの**が上昇、下降のどちらに向かっているかを調べましょう。

トレンドラインはチャートの上下によってできた山部分を線で結んだ**「レジスタンスライン（抵抗線）」**と、谷部分を線で結んだ**「サポートライン（支持線）」**で、できています。仮想通貨の価格が**各ラインに接近すると、反転する可能性は高くなる**ため、現在の価格が2つのラインのどこにあるかを注意深く見ることが大切です。

利益拡大のチャンス「トレンド転換」

どんなトレンドにも必ず終わりが訪れます。上昇から下降へ、下降から上昇に転じるタイミングがあり、これを**「トレンド転換」**といいます。

トレンド転換が発生するのは、**価格がトレンドラインを突き破ったときです**。レジスタンスラインを突破して上昇トレンドに転換することを「ブレイクアップ」、サポートラインを突破して下降トレンドに転換することを「ブレイクダウン」といいます。

このトレンド転換をうまく見極めることができれば、利益を上げる大きなチャンスにつながります。

トレンドラインに注目しよう

●トレンドラインの種類

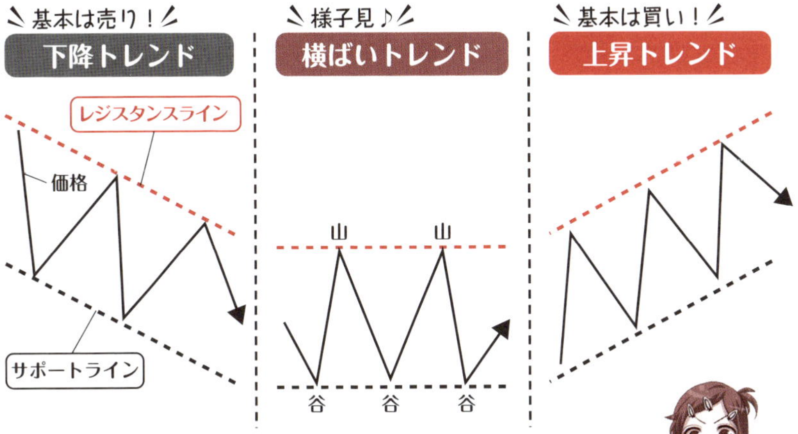

●ブレイクアップとブレイクダウン

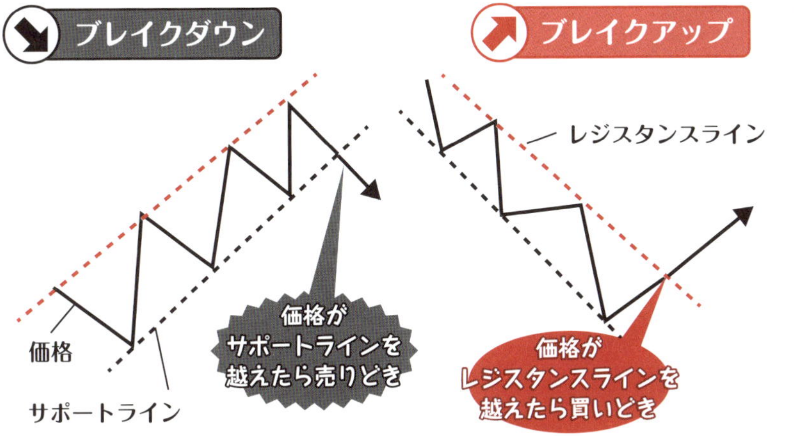

移動平均線でトレンドラインを見る

価格変動を大局的に把握する

トレンドラインを調べるツールとして、「移動平均線」というものがあります。これは**過去の一定期間の仮想通貨の価格の平均値を線で表したもの**です。例えば「5日移動平均線」は、過去5日間の終値を合計して5で割った値を線でつないだものです。平均値を見ることで、大きな流れのなかでの価格の変動を見ることができます。

移動平均線を組み合わせよう

移動平均線は設定する期間によって、短期線、中期線、長期線などに分けられます。移動平均線が上向きなら上昇トレンド、下向きなら下降トレンドと判断しましょう。

例えば、長期、短期ともに上昇トレンドなら今後も上昇する可能性は高いといえます。逆に短期線は上昇トレンド、長期線は下降トレンドであれば、様子見してもよいでしょう。

移動平均線でわかるトレンド転換

異なる2つの移動平均線を組み合わせることで、「トレンド転換」の時期を見極めることも可能です。

短期線が長期線を下から上へ突き抜ける**「ゴールデンクロス」は、上昇トレンドに転じたこと**を表し、反対に短期線が長期線を上から下へ突き抜ける**「デッドクロス」は、下降トレンドへの転換**を示します。

移動平均線に注目しよう

●移動平均線のでき方

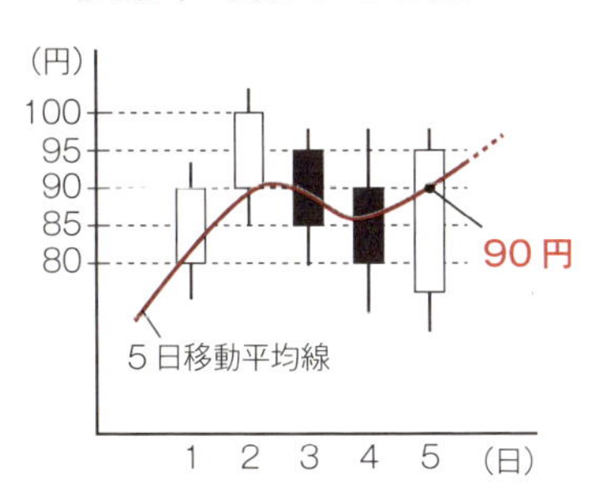

	終値
1日目	90円
2日目	100円
3日目	85円
4日目	80円
5日目	95円

5日間の終値の合計 ➡ 450円÷5日＝**90円** 5日目の5日移動平均線の価格

●移動平均線の種類

移動平均線には短期線と長期線があります。それぞれの移動平均線が上昇か下降かの組み合わせによって、トレンドを判断できます。

売買のシナリオを作る

「買い」より「売り」のほうが難しい

投資では、買うときの「入口」のほかに、売りどきである「出口」も想定しなければいけません。特に仮想通貨は、株などと違って、価格の指標となるものがないことから、**「売り」の判断が難しい**とされています。

利益ばかりに目をとられ、下がったときのことまで考えられないような人も少なくありません。そんな人の場合、一度、価格が下降するとパニック状態に陥ってしまい、正しい判断ができなくなります。これは価格が上昇したときも同様です。あらかじめ売りどきを考えていないため、「もしかするとまだ価格は上がるかもしれない」と欲が出てきたり、「このタイミングで売らなかったら、これから下がってしまうかも」という不安が出てきます。

市場に振り回されないために

実際、仮想通貨を手放したあとで価格が急上昇して損をしたり、上昇しても欲をかいて売らず、その後暴落して売りどきを完全に逃してしまうことも、よくあります。

こうした失敗を繰り返さないために、あらかじめ「○○円まで上昇したら売りに出そう」「○○円まで下落したら損切りしよう」など、**自分なりのシナリオを考えておきましょう**。シナリオがあれば、価格の変動に左右されず、落ち着いて取引ができるはずです。

用語解説

※**損切り**：下落した通貨を売却して損失を確定すること。逆に、上昇した通貨を売却して利益を確定することを「利食い」や「利確」という。

売買のシナリオを作ろう

●シナリオがない場合

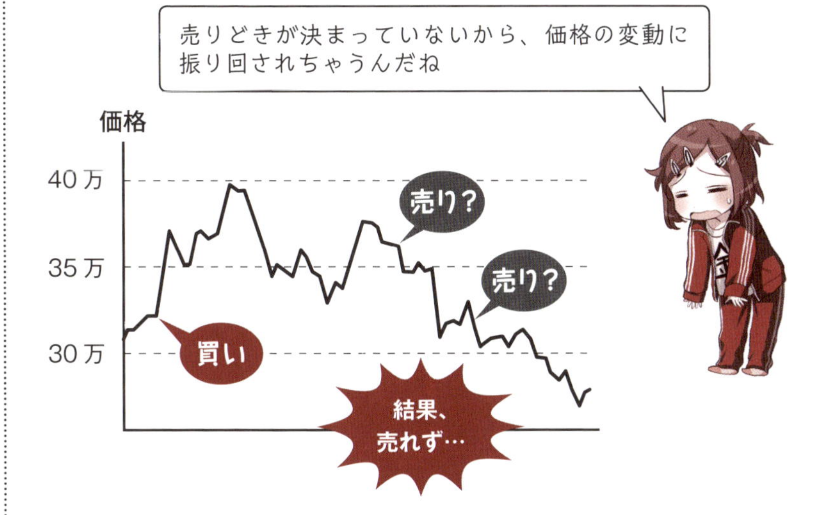

●シナリオがある場合

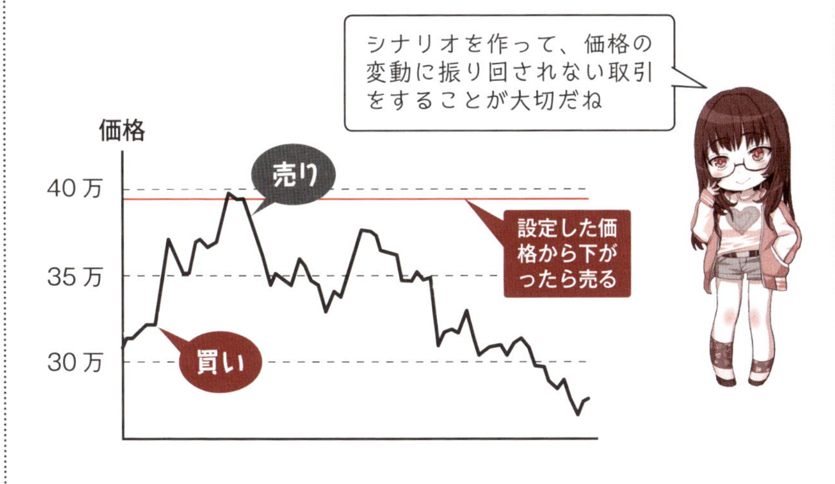

第4話
この日のために通ってました

あ ほら
リスナーさんから気になるコメ来てる！

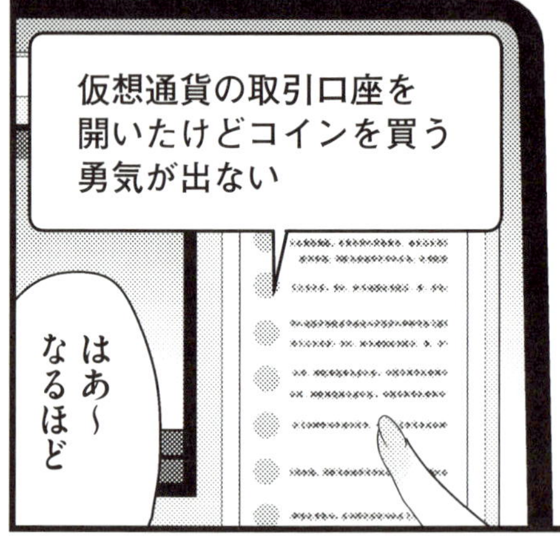

仮想通貨の取引口座を開いたけどコインを買う勇気が出ない
はあ〜なるほど

確かに初めて仮想通貨買うときってなんか勇気がいるよね
くるん
それに売るときも！

特に仮想通貨は株とかと違って適正価格がないからねえ
確かに！

株はＰＢＲとかＰＥＲを見れば今の株価がお得かどうか判断できるけど
○×会社
企業
PBR（資産）
PER（利益）
割安？
割高？
PBR－1倍
PER－15倍
買い！
仮想通貨はそういう判断指標がないね！

アリスちゃんはどうやって売買のタイミングを決めてるの？
やっぱり「買ったときよりいくら上がったら売る！」
…みたいに目標設定しておくのが 大切だと思うよ
HINAも盗まれるちょっと前に最高値つけてたし
まだまだ上がると思って持っていた人も多かったんじゃないかな
まだまだ持っとこう
ゴッ
でもあれだけ上がってたら
一度くらい利確しないと欲張りさんだよねえ
利益確定！
ドス
ガス
ゴス
…うっ

あれ？もり子ちゃんどうしたの？
いや…何でもないよ
やっぱり売買のシナリオは作っておかなきゃダメだよね

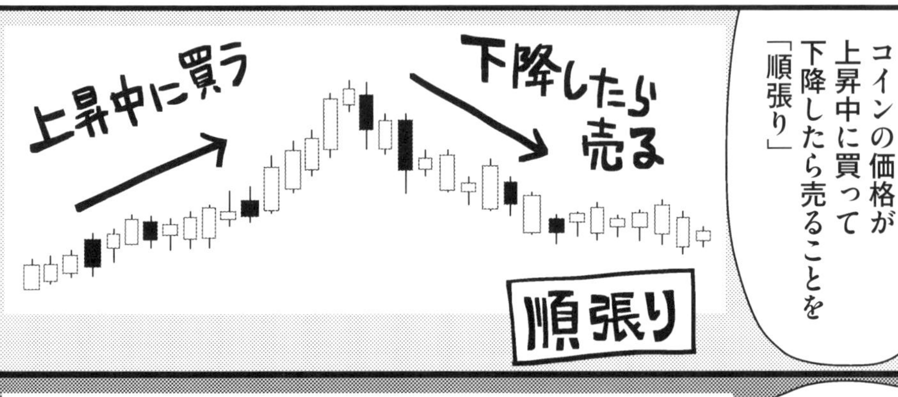

逆に下降中に買って
上昇したら売ることを
「逆張り」って
いいます！

「順張り」は
リターンは少ないけど
損するリスクも低くて

「逆張り」は
リターンは
大きくなるけど
損するリスクも
高いから

初心者は価格の
予想がしやすい
順張りが
おすすめだよ

	3月	4月	5月	6月	7月	8月
価格	50円	30円	20円	10円	40円	70円
購入額	1万円	1万円	1万円	1万円	1万円	1万円
コイン数	200枚	333枚	500枚	1000枚	250枚	143枚

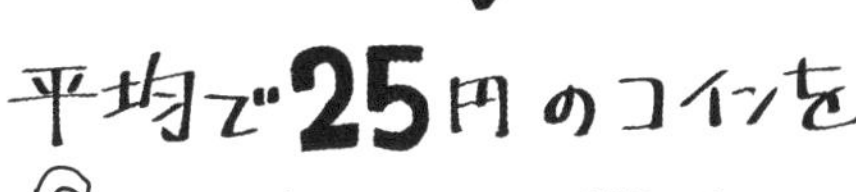

	3月	4月	5月	6月	7月	8月
価格	50円	30円	20円	10円	40円	70円
購入額	6万円	6万円	6万円	6万円	6万円	6万円
コイン数	1200枚	2000枚	3000枚	6000枚	1500枚	857枚

すごーい！
これなら絶対
損しないよね
そうだったら
いいんだけど…
ドルコスト
平均法にも
デメリットは
あるんだよ
毎月コインを
買うから
購入するたびに
手数料がかかるし
下落が
続きすぎると
損失に
なっちゃうの
価格が安く
どんどん購入
してしまう
それに価格の変化を
気にしないようになって
上昇 下落の原因を
調べなくなったり
するしね
ほっとけて
いいや・・・
私には
向いてないなー
そっかあ
どんな投資方法でも
損するリスクは
あるんだね
今日はそろそろ
終わりにしようか
そうだね～
もり子ちゃんの説明
すごくわかりやすくて
セミナーとかやってる
億トレーダーの人みたい
だったよ！
いやー
それほどでも
88888888888
わかりやすかった
良かったよー
8888
おつかれさま
面白かった

似たような話を
パンサーの講演で
聞いたことあるー

チャートからは何が読み取れる？

投資家たちの心理が見える

仮想通貨に限らずですが、未来の値動きを読み当てることは不可能です。しかし、チャートを見れば、値動きの方向性や売買のタイミングを探ることは可能です。

チャートには、**値動きに影響を与える投資家たちの考えや行動が現れます**。例えば、高値圏で出た長い上ヒゲは「買いたい」と考える人が少なくなったサイン。逆に安値圏で長い下ヒゲが出たときは「安い」「買っておこう」と考える人が多いサインです。

投資家たちは値上がりを期待して通貨を買います。しかし、自分は上がると思っていても、ほかの人たちが下がると思っていれば、売り注文が増えて価格は下がりやすくなります。だからこそ、チャートを通じて投資家が通貨の価値をどう判断しているのか探ることが重要です。

ニュース後の値動きにも注目！

通貨や取引所に関するニュースが出た場合も、**投資家たちがニュースをどう捉えるかによって値動きが変わります**。

仮にニュースを受けて価格が上がったのであれば、いいニュースであったと判断でき、買いのチャンスといえるでしょう。チャートを使った投資では、そのような値動きの背景にある**投資家の心理を考えることが重要**なのです。

チャートから読み取れるもの

●チャートから投資家たちの思考を考えよう

長いヒゲが出たときは価格が動きそうだね

●実際のチャート（リップル／円）

リップル社が開発していたサービスに関する明るい話題が出たときは、リップルの価格が急騰したよ

買いのタイミングはいつがいい？

Ⓑリスクの小さい順張り

仮想通貨の売買は、安く買って高く売ることが基本です。そのためには、トレンドが下降から上昇に変わるタイミングを待ちましょう。

具体的には、まず**トレンド転換してから買う方法**です。例えば、下向きだった移動平均線が上向いたのを確認してから買うようなケースです。これを順張りといいます。

順張りはトレンドに乗ることと同じですので、買い手の力を追い風にできます。ただし、トレンド転換の指標となるトレンドラインや移動平均線が上昇するのは、通貨の価格が上がった少し後からです。底値から買うタイミングまでに時間差が発生するため、逆張りより得られる利益は少なくなりがちです。

Ⓑリスクの大きい逆張り

トレンド転換点となる安値や底値のあたりをつけて買う方法もあります。下向きだった移動平均線の角度がゆるくなったり、横ばいになってきたときに買うようなケースで、これを逆張りといいます。逆張りは、順張りよりも安く買うことができるので、実際にトレンド転換すれば大きな利益が得られます。ただし、トレンドに逆らっているので、**順張りよりリスクも大きくなります**。これから売買を始めるのであれば、**まずはリスクが小さい順張りから始めるのがいいでしょう**。

順張りと逆張り

●順張り：上昇トレンド中に通貨を買う方法

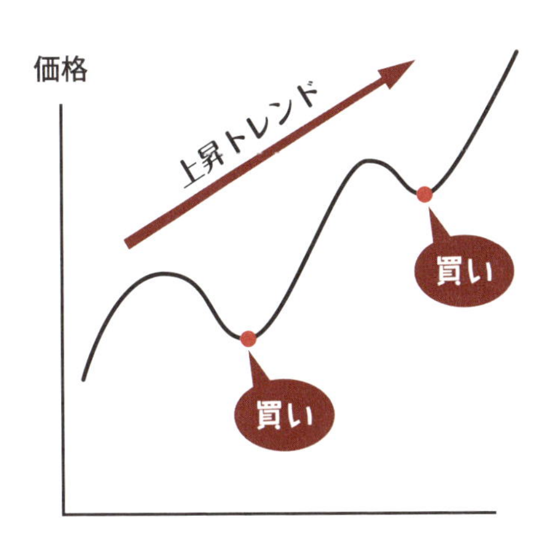

上昇トレンド中は、価格の下げ幅も小さいから、順張りなら損をしても被害を最小限で抑えられるかも！

●逆張り：トレンドの転換点を狙って通貨を買う方法

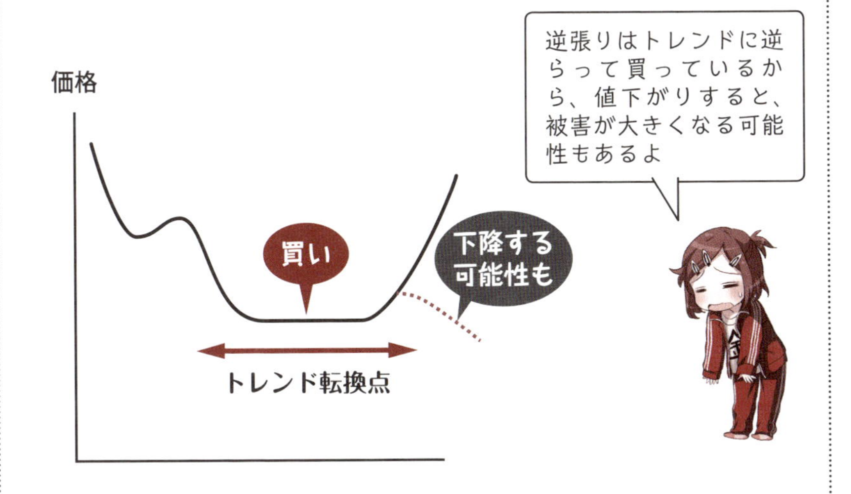

Part3

09

リスクを抑える方法は？

Ⓑ複数の資産に分けて投資

仮想通貨は急騰・急落することが珍しくありません。急落によって資金が減ってしまわないよう十分注意する必要があります。

そのための方法の1つが、**資産の分散**です。複数の仮想通貨を購入する、株や為替に投資するなどがあります。

分散投資は、**値動きが異なるタイプのものに投資するほどリスクを抑える効果が大きくなります**。

例えば、株と債券のように逆の値動きをするものを持てば、株が下がったときには債券が上がり、債券が下がったときには株が上がるため、全体の総額が安定します。

Ⓑ優先すべきは資産を守ること

仮想通貨の価格は連動することが多いため、複数の通貨に分散しても、市場全体が低調なときには軒並み下落する可能性があります。リスク管理を重視するのであれば、一部の資金は仮想通貨以外の資産に投資したり、仮想通貨が下落したときに安く買うための準備として、現金で保有しておくのがおすすめです。

分散投資はリスクを抑えられる代わりに、リターンが小さくなります。しかし、大きく勝つことよりも、**まずは資産を守ることを優先して、投資先の分散方法を考えてみましょう**。

分散投資でリスクを抑えよう

投資先が１つだけだと…

急落したときに、大きな損失が出るんだね

そこで分散投資がおすすめ

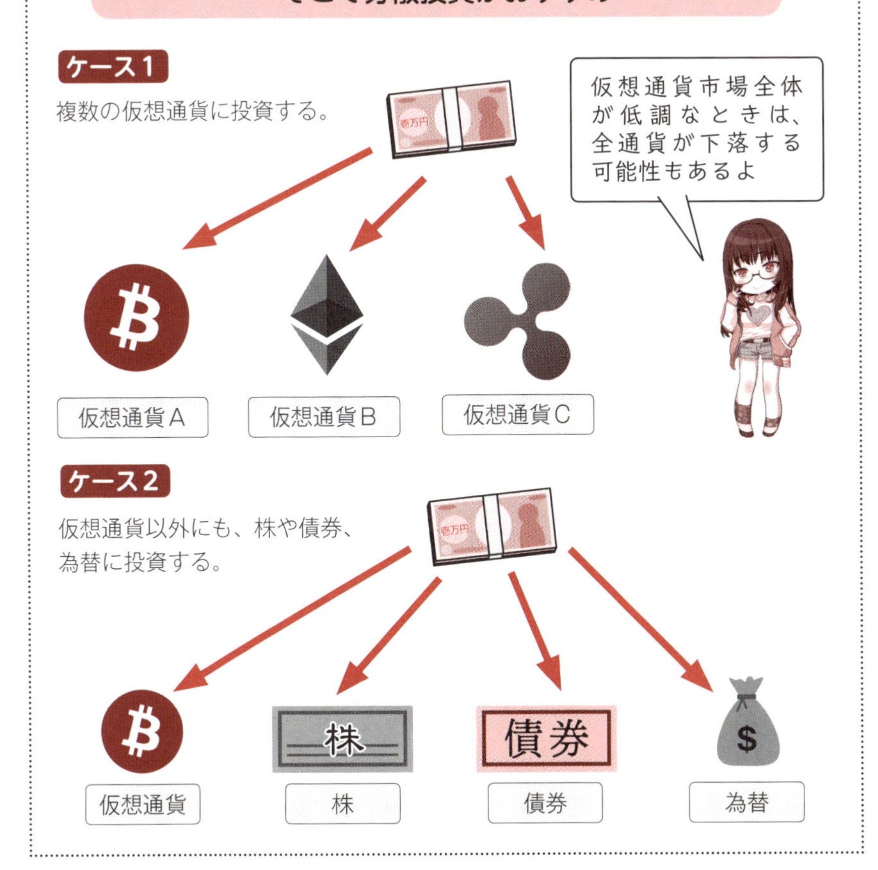

まとめて買う？ 分けて買う？

買うタイミングを分散する

投資のリスク管理では、前ページで説明した資産を分散する方法のほかに、**買うタイミングを分散する方法**もあります。例えば、100円の通貨を10万円分購入した後、価格が90円に下落すると1万円の損失が出ます。

一方、買うタイミングを100円のときに5万円分、90円のときに5万円分と分けておけば、平均取得単価がおよそ95円になるため、損失は5000円ほどで済みます。

このように取得単価と損益が安定することが、買うタイミングを分散するメリットです。時間をかけ、回数を分けるほど、大きく損するリスクは小さくなっていきます。

毎月の購入金額を一定にする

さらにリスクを抑えたい場合は、**買う金額を一定にする**とよいでしょう。例えば、毎月1単位ずつ買うのではなく、3万円ずつと決めて買っていきます。この方法を**ドルコスト平均法**といいます。買う金額を一定にすれば、通貨の価格が高いときは、買う量が少なくなり、安いときは買う量が多くなります。その結果、単位を決めて買う場合と比べて平均取得単価が安くなります。また、高値で買った分で損が出るリスクを抑えるとともに、割安のときに買った分で利益が出る可能性が大きくなるのです。

買うタイミングを分散する

●買う「回数」を分けてリスクを回避する

2回に分けて10万円分の仮想通貨を購入する

	行動	価格と単位	金額
❶	買い	100円×500枚	5万円
❷	買い	90円×556枚	約5万円
❸	売り	100円×1056枚	10万5600円

約5600円の利益

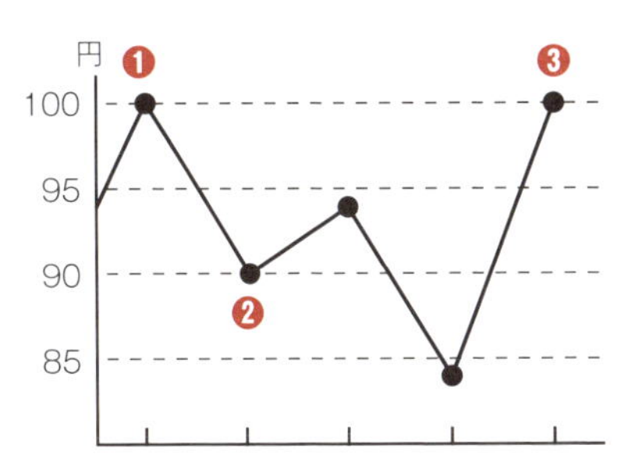

2回に分けて買っておくと、100円に戻ったときに売れば、利益が得られるわ

●買う「金額」を一定にしてリスクを回避する（ドルコスト平均法）

1万円などひと月に購入する金額を一定にすることで、高値で多く買ってしまうリスクを抑えることができる。

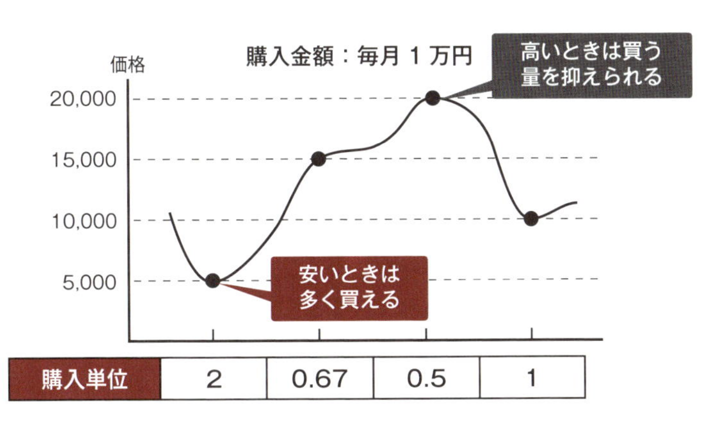

購入単位	2	0.67	0.5	1

仮想通貨が値下がりしたらどうすればいい？

損が小さいうちに売る

最終的に儲かるかどうかは、損が出た通貨をどのように処理するかによって変わります。

値下がりしたときの対策は2つです。1つは、**損が小さいうちに売る方法**です。この方法を徹底すれば、10回投資し、9回負けたとしても、残り1回の勝ちで利益が出せるかもしれません。投資で勝つためには適切に損切りできるかどうかが重要なポイントです。

取得平均価格を安くする

もう1つは**損が出ている通貨を売らず、買い増す方法**です。この方法をナンピンといいます。ナンピンは、取得平均価格が安くなるというメリットがあるため、価格が反転すれば損失を取り返すことができます。ただし、そのまま下落した場合は損失が拡大します。

損が出たという失敗を認めるのは心理的に難しいことですが、投資を長く続けるためには、**資金が大きく目減りするリスクを避けること**が大事です。

Check!

損切りの相場格言

損切りに関する相場格言には、「損小利大」（損を抑えて利益を伸ばす）、「しまったら仕舞え」（失敗したと思ったら手放す）、「見切り千両」（損が小さいうちに手放すことに大きな価値がある）などがあり、いかに損切りが大事であるかを表しています。

※**塩漬け**：下落した通貨を持ち続けるが、さらに下落が続いてしまい、売るに売れない状態のこと。

損切りとナンピン

●損切り

価格

買い

すべて売り

損が小さいうちに、
所有している通貨
をすべて売る。

早めに損切りしておけば、損失を最小限にとどめることができるよ

●ナンピン

価格

買い

さらに買い増し

損が出ている通貨を売らず、さらに買い増す。

下落すると塩漬けに…

ナンピンは取得平均価格が安くなるから、価格が上昇すれば最初の損失を取り返すことができるけど、そのまま下落が続くと損失が拡大してしまうわ

価格はなぜ上下する？

需給バランスで変動する

仮想通貨の価格は、需要と供給のバランスによって決まります。

需要は買い手のことで、通貨の注目度が高まったり、機能の将来性が評価されたりしたときに需要が増え、価格が上がります。一方、供給は売り手のことで、期待や評価が下がったり、ほかに魅力的な通貨が誕生したときなどに売りたい人が増え、価格が下がります。

通貨の発行枚数にも注目！

需給バランスに影響する要因がもう1つあります。それは**通貨の発行枚数**です。

仮想通貨の多くは、発行枚数が決まっています。例えば、ビットコインやビットコインキャッシュは2100万BTC、リップルは1000億XRPが上限となっています。発行枚数が決まっていると、上限に近づくほど通貨の希少性が高まります。現在発行されている枚数は、Coin marketcapなどの情報サイトから確認できます。

Check！

バーン（burn）

仮想通貨には、市場に流通している通貨の数を減らすバーンという仕組みがあります。バーンによって発行枚数が減れば、その通貨の価値は高くなり、価格が上がりやすくなります。バーンが予定されている場合、公式サイトなどで事前に告知されるので見逃さないようにしましょう。

用語解説

※Coin marketcap：さまざまな仮想通貨の時価総額ランキングや取引価格などをまとめたサイト（https://coinmarketcap.com/）。

仮想通貨の価格変動の仕組み

●仮想通貨の価格と需要（買い手）と供給（売り手）の関係

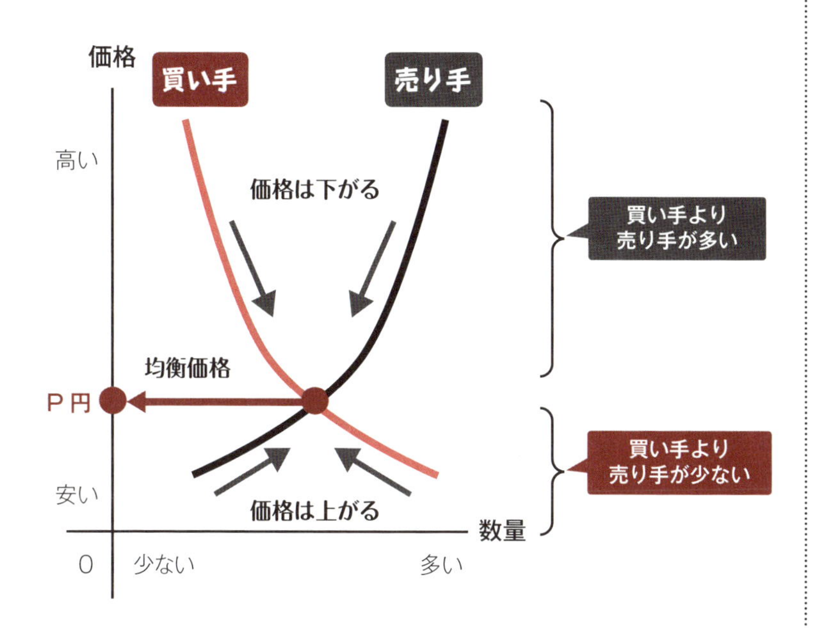

●主な仮想通貨の発行上限枚数（2021年1月現在）

主な仮想通貨	発行上限枚数（量）
ビットコイン	21,000,000 BTC
イーサリアム	上限なし
イーサリアムクラシック	210,000,000ETC
リップル	100,000,000,000 XRP
ビットコインキャッシュ	21,000,000 BCH
ライトコイン	84,000,000 LTC
ネム	8,999,999,999 XEM

Part3 13

通貨が分裂するってどういうこと？

新しい通貨が誕生する

仮想通貨のニュースを見ていくと、**分裂（ハードフォーク）**という言葉を目にします。これは、取引情報をつないできた1本のブロックチェーンを2本に分岐させ、**もともと存在していた通貨と、新たに誕生させる通貨に分けること**を指しています。

分裂する主な要因は、通貨の機能を高める（アップデートする）ためです。例えば、1ブロック内に記録するデータ量を増やす、セキュリティを強化するため、分裂します。

特典がもらえることもある

分裂する通貨を保有していると、**分裂によって誕生した新たな通貨がもらえる場合があります**。このような特典をもらうために既存の通貨を買っておこうと考える人が増え、価格が上昇する可能性があります。分裂を見据えた値上がりや、分裂時の特典を逃さないためにも、分裂関連の情報は非常に重要といえます。

Check!

過去にあった分裂

過去には、ビットコインの分裂からビットコインキャッシュやビットコインゴールドが誕生し、イーサリアムも、イーサリアムとイーサリアムクラシックに分裂して今に至っています。これらの分裂では、特典として保有者に新たな通貨が付与されました。

分裂（ハードフォーク）とは

分裂（ハードフォーク）とは機能のアップデートなどにより、仮想通貨が分岐することです。

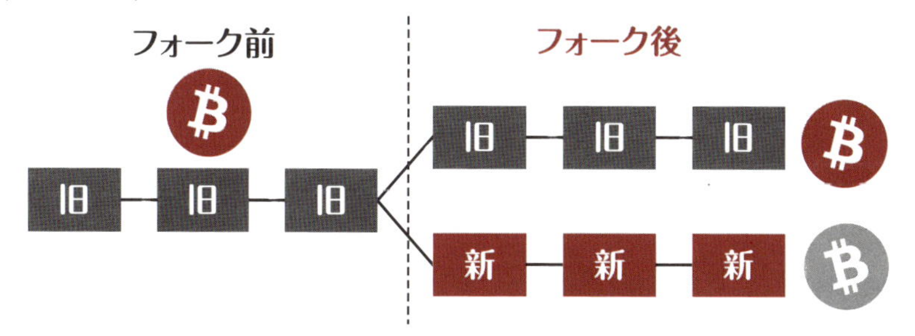

ハードフォークが起こる要因

- バグの改善や機能のアップデート。
- 仮想通貨の盗難など、人為的事故。
- 新しい仮想通貨を発行するため。

分裂（ハードフォーク）が起こると…

持っている仮想通貨が分裂したとき、取引所によっては持っていた通貨と同じ量の新通貨をもらえることがある。

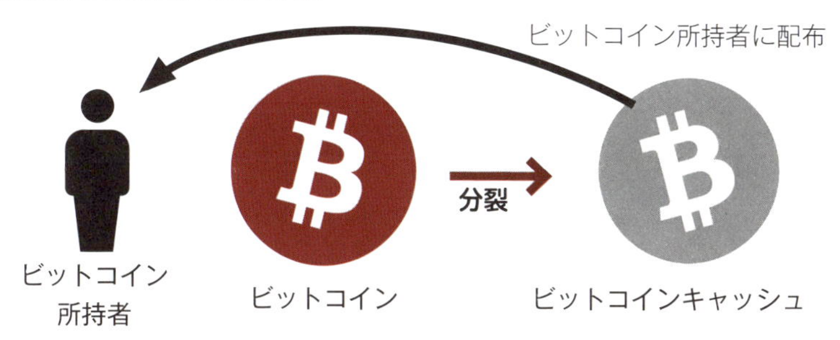

ビットコインが分裂してビットコインキャッシュができたときは、所持していたビットコインと同じ量のビットコインキャッシュが配布された。

Part3
14

取引所ごとに価格が異なることを利用してみよう

ビットコインのように複数の取引所で売買できる通貨は、取引所ごとに価格が異なります。**この価格差で利益を得る方法をアービトラージ（さや取り）といいます**。

Ⓑ売買価格の差に注目する

例えば、ビットコインが取引所Aでは100万円、取引所Bでは99万5000円で売買されていたとき、ビットコインを取引所Bで買って、取引所Aに送金して売れば5000円の利益を出せます。また、アービトラージは、買う、送金、売るという3ステップを素早く行うので、値動きの影響は、ほとんど受けません。

送金に時間がかかる場合は、複数の取引所に資金と通貨を預けておき、価格差が大きくなったら、価格の高い取引所で通貨を売り、安い取引所で買うこともできます。

Check!

手数料には要注意

売買の際に手数料が発生することを忘れてはいけません。仮に取引所間で売買価格の差があっても、手数料がそれ以上であれば利益になりません。また、取引所間の価格差は決して大きくないため、大きな利益を狙うためには資金を増やす必要があります。その点から見ると、アービトラージは、**まとまった資金が準備できる人に向いている投資手法といえます**。

取引所ごとの価格差に注目！

取引所A
1BTC＝100万円

取引所B
1BTC＝99万5000円

買う・送金・売るの手順を素早く行うのがポイント！

売る　　**買う**

取引所の価格差によって
5000円の利益が出る

メリット
- 売買価格の差を利益として得ることができる！
- 値動きの影響を受けにくい。

デメリット
- 仮想通貨購入時の手数料が売買価格の差以上の場合は、利益にはならない。
- 大きな利益を得るには、それなりの購入資金が必要となる。

アービトラージ（さや取り）をするには、それなりに資金が必要なことを忘れないでね

市場全体の状況はどうやって把握する？

市場にお金は集まっているか

仮想通貨市場は、**投資家のお金が入ってきているときに値上がりし、出て行くときに値下がりする**傾向があります。2017年の年末は、多くの人が仮想通貨に注目して需要が急激に増えた結果、多くの通貨が急騰しました。日々の相場でも、市場を出入りする資金は変動しています。株式や米ドルの時価総額などと比較し、仮想通貨市場にお金が流入しているときは買いのチャンスともいえます。

お金が集まっている通貨は何か

市場内のお金も、ビットコインに集まるときがあれば、アルトコインに移動するときもあります。

どの通貨が、どれくらいのシェアを取っているかを表す数値をドミナンスといいます。お金が流入しているところほど値上がりしやすい傾向があるので、**どの通貨を買うか迷ったときなどには、ドミナンスを参考にしてみる**とよいでしょう。

Check！ ビットコインドミナンスとは

仮想通貨の全体の時価総額に対するビットコインの時価総額の割合をビットコインドミナンスといいます。ビットコインドミナンスが上がれば、ビットコインを購入している人が多く、下がればアルトコインを購入している人が多いということです。

市場や通貨に集まっているお金を確認しよう！

●仮想通貨市場の時価総額を確認しよう

ほかの市場から仮想通貨市場へ資金が流入していれば、通貨全体が値上がりする可能性が高くなる。一方、仮想通貨市場から資金が流出していると、通貨全体が値下がりする可能性も。

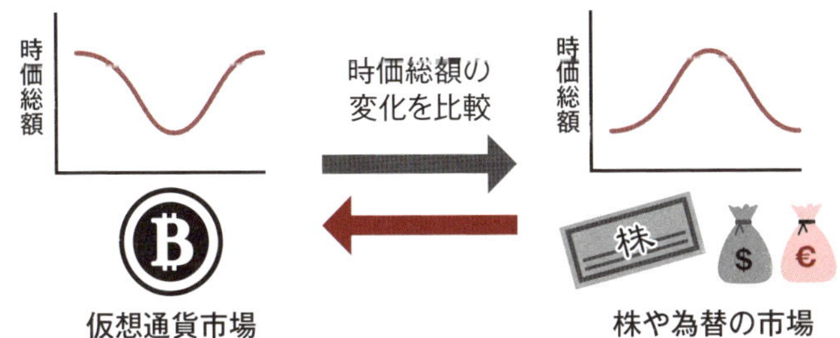

●ビットコインドミナンスを確認しよう

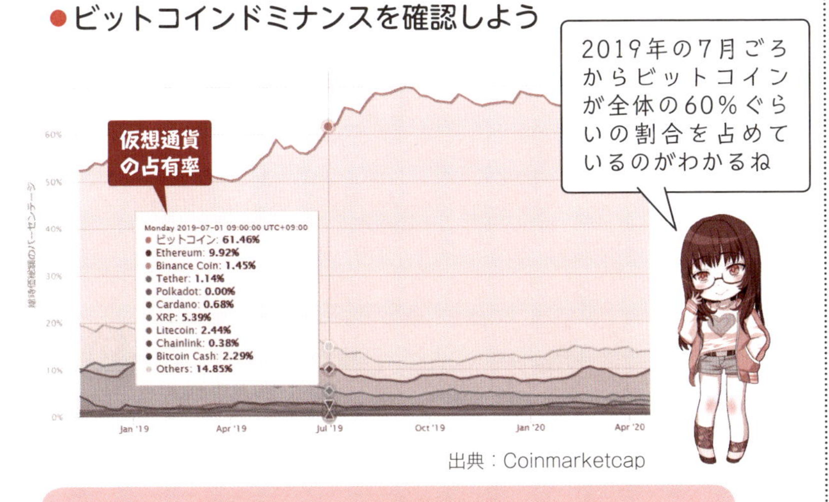

出典：Coinmarketcap

ドミナンスを読み解くポイント

- ビットコインドミナンスの上昇＝ビットコインの価格が上昇
- ビットコインドミナンスの下降＝アルトコインの価格が上昇

パシャ
パシャ
パシャ
パシャ

Part 4

知らなきゃ勝てない仮想通貨の超基本

いっただきまーす!

最近ずっとコインの値段も上がってるみたいだし
もぐもぐ
このまま投資額を増やしていけば損した分も取り返せそうだぞー

倍プッシュだ!倍プッシュ!

カパ
今日も1日頑張るぞ!!

な!?
ズゥゥーン
す…すごい
下がってる!?
えぇー!?
昨日まで
順調に上がって
たのに
なんで…?

そうだ!
こんなときは
あんずさん…!!
教えて!
あんず先生
株の時も色々
教えてくれたし
助けて
あんず先生~
ぴこーん
もり子
ちゃんから
SOSが
来そうだわ
…
スチャ
ガチャッ

!?
ぷすっ
……
あれ？アリスちゃんからDMだ！
フフフ…
すやぁ…

きゃ～!!
仮想通貨
だだ下がりだね！
大丈夫だった？
大丈夫じゃないよ～
カタカタ…
アリスちゃーんなんで急に価格が下がちゃったの？

もり子ちゃん
ニュース見てないの？
外国で仮想通貨の
取引を規制したんだよ
え!?そうなの？
ふっふっふ
仕方ないなぁ

ここはこのアリスちゃんが教えてあげる！
仮想通貨市場はまだ法の整備が曖昧だから
金融庁
Financial Servi
証券取引
規制のニュースは話題になりやすいの
仮想通貨規制ニュース
〇〇国でビットコインの新たな規制始まる
金融庁は6月から新たな法規制
おおっ
ありすちゃんのSOS!
2017年に中国政府が過熱した仮想通貨への投資を規制する発表をしたときには
取引所の禁止
取引所
アクセス遮断
インターネット
PC
ウォレットサービス検閲
ビットコインの価格が50万円から30万円に下落したんだよ
502,042
400,000
300,000
ず〜ん…

ひえぇ
そんなことがあったんだ…
おお買いやすくなった！
良
規制
悪
規制
制限されて取引しづらくなった…
規制が整備されることで買いやすくなるプラスの側面もあれば悪いニュースのときもある…
だからニュースを見ていいか悪いかを判断する必要があるの
ズ～っ

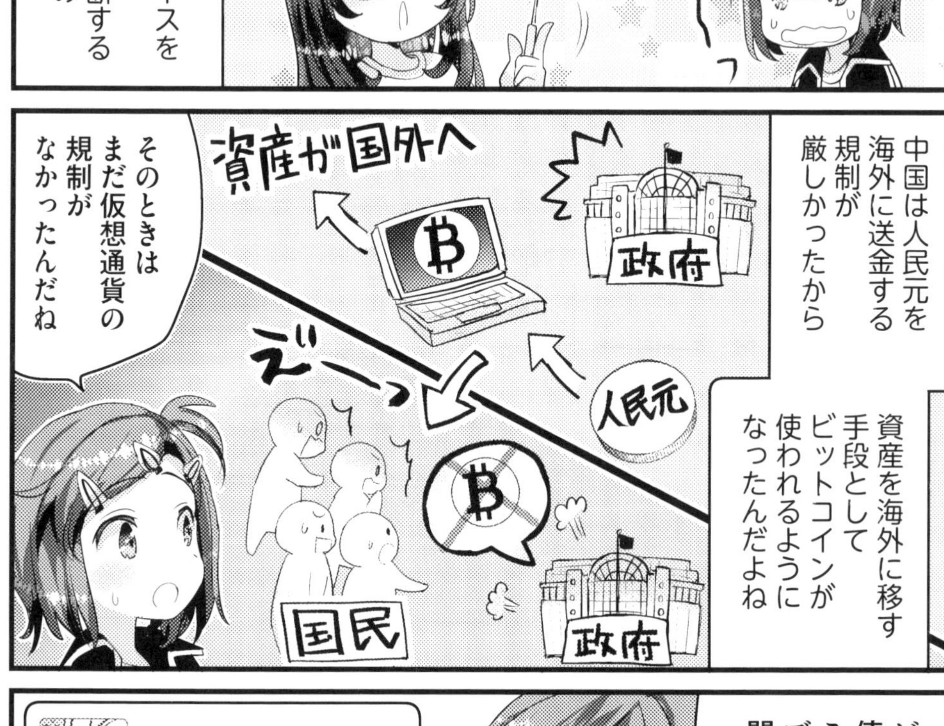
中国は人民元を海外に送金する規制が厳しかったから
政府
資産が国外へ
人民元
資産を海外に移す手段としてビットコインが使われるようになったんだよね
そのときはまだ仮想通貨の規制がなかったんだね
ズーっ
国民
政府

ビットコインが使われた理由ってこの間いってたブロックチェーンが関係してるの？
お！ついに仮想通貨の仕組みに興味を持ってくれたんだね♪

ブロックチェーンはビットコインの取引を記録する台帳のようなもので
どんどんうしろにつながっていくよ
ブロック
データ
取引データを一定数の「ブロック単位」に分けて鎖状につないで記録していく仕組みなの
ズラー
おー
数千 数万と世界中に分散したノード（コンピューター）が監視し合っているからセキュリティは高いし
カシャーン
侵入できない!!
データ
中央サーバーで管理しないからユーザー同士で直接取引できるんだよ
送金
受領
中央サーバーで管理しない…？
そこがブロックチェーンの凄いとこなんだなー
ふっふっふ!

従来のシステムは記録データを銀行みたいな管理機関が一括管理しているの
BANK
これって取引量や残高とかが「第三者」に監視管理されてる状態なんだよね
一括！
クライアント・サーバー型
データをサーバーが一括管理
それが普通じゃないの？
ちゃんと管理されてる方が安全そうだけど
ちっちっ
そんなことないよ
例えばサーバーに問題が起きた場合
データが1か所に集中しているとまとめて被害を受ける可能性があるでしょ？
サーバー障害
BANK
データがあああ
あ…！
でもブロックチェーンは記録データをサーバー上ではなく
P2P（ピアツーピア）ネットワーク
ネットワーク上のパソコン同士が直接データをやり取りする接続方法
分散！
参加ユーザーのパソコンに分散させて管理するの

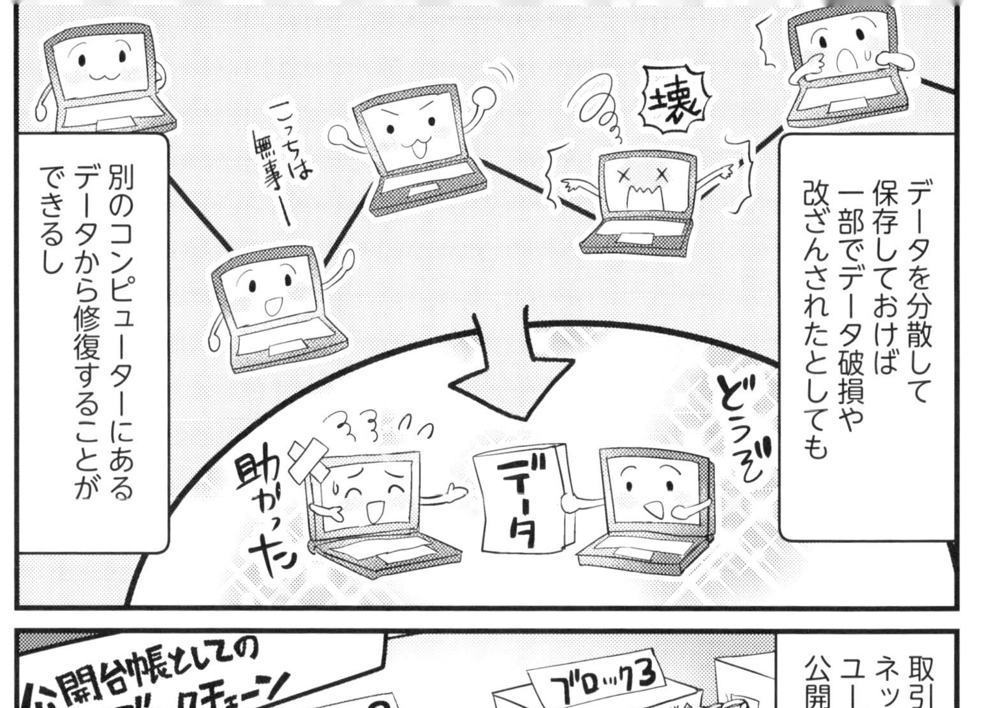
データを分散して
保存しておけば
一部でデータ破損や
改ざんされたとしても
壊
こっちは無事ー
別のコンピューターにある
データから修復することが
できるし
どうぞ
データ
助かった

取引データは
ネットワーク上で
ユーザー全員に
公開されるから
不正取引や
データの改ざんも
行われにくく
なってるの
公開台帳としてのブロックチェーン
ブロック3
DがBに 2 BTC 送金
BがCに 1 BTC 送金
CがAに 1 BTC 送金
ブロック2
CがAに 3 BTC 送金
DがCに 2 BTC 送金
BがDに 10 BTC 送金
ブロック1
AがBに 3 BTC送金
BがCに 6 BTC送金
CがDに 2 BTC送金
BTC
=
ビットコイン
のことだよ

「第三者」の仲介が
入らないから手数料も
低コストで済むしね！
シャキーン
低コスト！
なるほど！

ビットコインはこの仕組みのおかげで実体がないデジタル通貨だけど
ドルや円とは違う新しい通貨や投資対象になるんじゃないかって注目されているんだよ！
お金として信頼性があるってことはまた値段も上がるかな
いずれは上がると思うけど…
今回のニュースはけっこう話題になってるし
値段が回復するには少し時間がかかるかもね
そっか～…

!

確かに
時間はかかるかも
しれないけど
カタ カタ
配信の視聴者も
増えてきているし
もう少し頑張ろうよ！
そうしたら仮想通貨の投資は
少し休憩して
株とかに切り替えた方が
いいのかなー
金

う～ん
でもなぁ
わかった！
もり子ちゃんのために
一発逆転が狙える
情報を教えてあげる！

うまくいけば
利益もいっぱい
得られるし
ネットでも
話題になるはず！
間違いナシだよ！
金
本当に
そんな情報が
あるの？

もっちろん！
新しい通貨なんだけど…
新しい通貨？

仮想通貨の値が上がる数日前―
出演者控室
パイレーツ
パンサー川島様

ガチャ
川島さん
お疲れ様です

…って今度は
仮想通貨ですか？
隙あらば
投資のチャンスを
うかがってますね

まあ
そればっかりでも
ないんだけど…
あれ
この子？
ズィ

あー
その子ね
この間のニュースに
出てた子なんだけど
私の知り合いなの

ニッ
そっち
じゃなくて
こっちの子…

やっぱりそうだ!!

何？知り合いなの？
いえこの子マーチヘアーっていうアイドルの元センターですよ

正確にいえばセンターになるはずだった子です
メジャーデビュー直前でグループを脱退してしまったので…

川島さん？
あ ええ

にしても
あなた
ずいぶん
詳しいのね
私
アイドル大好き
なんですよ！
この業界
入ったのも
それが
きっかけですし
ホラコレとか
オーディションの
ユイちゃんの
写真！
○△×のケイちゃん
もインディーズ時代
から追っかけてて
当時の秘蔵映像
なんですけど
かわいいでしょ
あとコレとか
しぱぱぱぱぱ
……

デビュー直前に
引退して
ネットで
アイドル活動!?
何を考えて
いるのかしら？

Part4

01

仮想通貨ってどんなお金？

カタチのないインターネット上の資産

どんな投資でも、投資先がどんなものなのかしっかりと理解しておくことが重要です。

仮想通貨（暗号資産）は、その名の通り仮想の世界に存在する通貨で、紙幣や硬貨のような実体はありません。**買う、貯める、増やす、使うといった取引**（トランザクション）はすべてインターネット上のデータとして記録され、ウォレットと呼ばれる専用ツールで保管します。

データをブロックに分けて記録する

取引データは、**ブロックチェーンという仕組みを使って記録されます**。例えば、ビットコインで使われているブロックの容量は1MB（メガバイト）です。記録データが1MBを超えると、新たなブロックに取引内容を記録し、各ブロックを鎖（チェーン）のようにつないでいきます。この作業を繰り返して残高の情報などを引き継いでいくのがブロックチェーンです。

取引データをブロックチェーンにつなぐ作業をマイニングといい、マイニングする人をマイナーと呼びます（144ページ参照）。マイナーは、特定の管理者ではなく、世界中の有志の参加者で構成されており、いわば**不特定多数の人が処理状況などを相互監視する**環境となっているため、不正な取引を防ぐことができ、安全に保有・利用できるようになっています。

用語解説

※**ウォレット**：仮想通貨を保管する場所のこと。オンライン上やスマホやパソコン、USBメモリのような形をしたハードウェアウォレットなどさまざまなものがある。

仮想通貨の仕組み

●仮想通貨でできる取引

トランザクションをすべてネット上でできることが、仮想通貨の特徴。

●ブロックチェーンの仕組み

ビットコインの場合、10分ごとの取引データを1ブロックにまとめ、鎖（チェーン）のようにつないでいく。

仮想通貨のいいところが知りたい

実体があるかどうか

ふだん、私たちが使っている**円やドルなどのお金を法定通貨**と呼びます。法定通貨は、その国の政府や中央銀行から発行され、お金の価値は国の信用で決まる、発行上限が決まっていないなどの特徴があります。

一方、仮想通貨には実体がありませんので、**落としたり、なくしたりすることがありません**。使用イメージとしては、クレジットカードなどの決済が近いといえるでしょう。ただし、カード決済の場合はカード会社や銀行が間に入ります。一方、仮想通貨の場合はお店とお客が直接やりとりするため、**決済にかかる手間、時間、コストを省くことができます**。

管理方法が異なる

銀行などに預けた法定通貨は、中央サーバーで管理されますので、サーバーにトラブルが起きると出入金や送金ができなくなる可能性があり、サーバーがハッキングされる可能性もゼロではありません。その点、仮想通貨は利用者同士のネットワークを直接つなぎ、取引記録を分散して管理するため、**サーバートラブルのリスクがありません**。

そして仮想通貨には、**政府や中央銀行のような管理者が存在しません**。にもかかわらず、通貨として機能しているのは、それだけ安心できる仕組みが存在しているからです。詳しい仕組みについては、次項で説明します。

法定通貨と仮想通貨はどこが違う？

	法定通貨	仮想通貨
発行主体	政府・中央銀行	なし
実体	あり（紙幣や硬貨）	なし
発行量	上限なし	あり（ビットコインの場合：2,100万BTC）
通貨の価値・価格	物価に連動して価値が決まる	需要と供給によって価格は決まる
取引の場	銀行、証券会社など	仮想通貨の取引所

●取引データの管理方法

法定通貨は金融機関の中央サーバーで管理されています。一方、仮想通貨は利用者同士のネットワークを直接つなぎ、取引記録を分散して管理しています。

法定通貨の取引データの管理方法

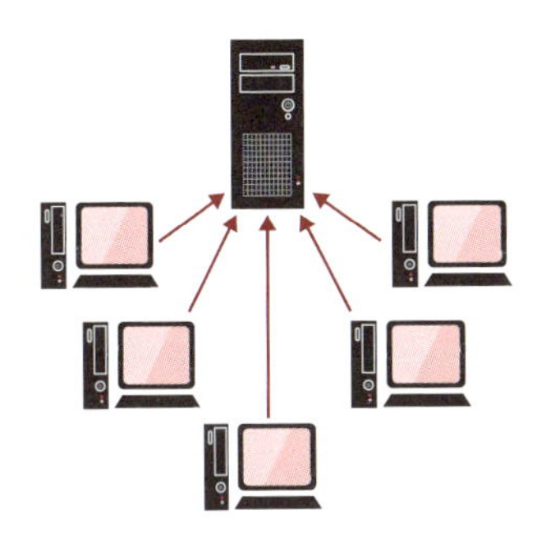

中央サーバーにトラブルが発生すると、全ユーザーに影響が出る。

仮想通貨の取引データの管理方法

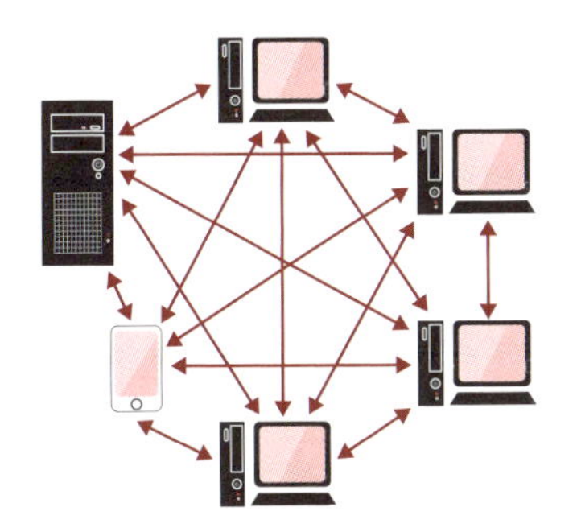

データは利用者間で分散して管理されているため、ハッキングなどの攻撃を受けにくい。

仮想通貨は直接送金や取引できるから、手数料も安いし、やりとりがスピーディーになるわ

ビットコイン誕生の背景は？

仮想通貨の始まりはビットコイン

仮想通貨のなかで、なぜここまでビットコインの存在感が大きいかというと、仮想通貨の仕組みがビットコインからスタートしているからです。きっかけは**サトシ・ナカモト**という人物が2008年に発表した論文でした。この論文が土台となって、ブロックチェーンで取引内容を記録していく仕組みと、ビットコインが誕生します。そして、後にビットコインの仕組みや特徴を踏まえたアルトコインも誕生しました。

管理者不在でも機能する仕組み

ビットコインが注目されたのは、流通量や値動きなどを**管理する人がいなくても通貨として機能する仕組み**があったからです。

ブロックチェーンによって分けられた取引データが、世界中の端末に分散して存在していることで、データの改ざんなどが難しくなるため、監視役となる管理者が不要なのです。

Check！

法定通貨の管理の仕組み

日本円の場合、円預金などの取引データや残高データは銀行などが管理しています。また通貨そのものに関しても、中央銀行である日本銀行が金利のコントロールなどを通じて管理しています。

ビットコインの誕生と歴史

2008年10月	サトシ・ナカモト氏が「Bitcoin: A Peer-to-Peer Electronic Cash System」という論文を発表。

⬇

2009年1月	ビットコインが誕生。最初のビットコイン取引が行われる。

論文発表から、約2か月後にはビットコインが誕生していたんだね

ビットコインの特徴

- 流通量や値動きなどを管理する人がいなくても通貨として機能できる。
- 過去の取引データを変更できないシステムのため、データの改ざんをすることができない。
- 監視役となる管理者が不要。

●ビットコイン／円（BTC/JPY）のチャート（2018～2021年）

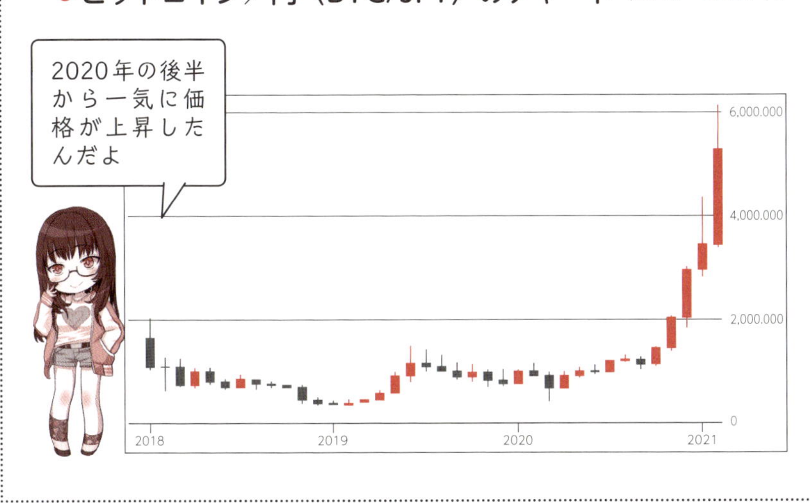

Part4

04

ビットコインで何ができる？

Ⓑ 決済や送金が便利になる

ビットコインは、現状として投資対象と認知されているところがあります。実際、値動きがよいため短期トレードで売買する人も大勢いますし、レバレッジ取引ができることも投資対象としての魅力を高めています。

投資対象という点では、分散投資する選択肢の1つになるという点も魅力といえるでしょう。

一方、通貨の一種としてもさまざまな使い道が検討されています。**商品購入の決済手段**として使うことがその一例です。国内でもすでにビットコインで決済できるお店などがあり、その数は今後増えていくだろうと予想されています。

国境をまたぐという点からみると、**海外に向けた送金**もビットコインが便利です。銀行などを経由する送金は手数料と時間がかかります。その点、ビットコインの送金は、価格が上がったことで手数料を抑えるメリットが小さくなってはいますが、手間と時間を抑えることができます。

Check！

ビットコインは無国籍通貨

ビットコインは無国籍の通貨にあたるため、海外のサイトで買い物する場合でも両替の必要はなく、通常の法定通貨での買い物のように、円安の影響などを受けることもありません。

ビットコインでできること

●投資対象として売買できる

現物取引

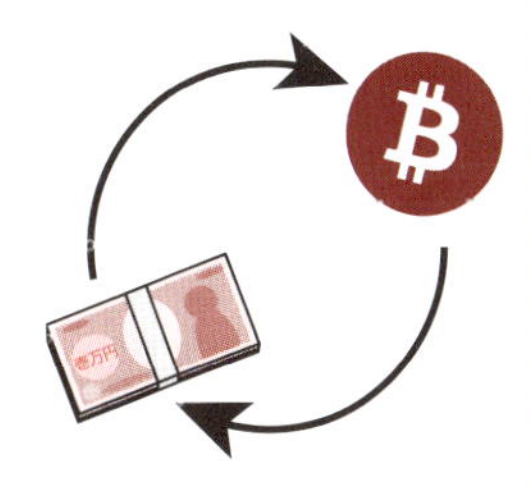

レバレッジ取引

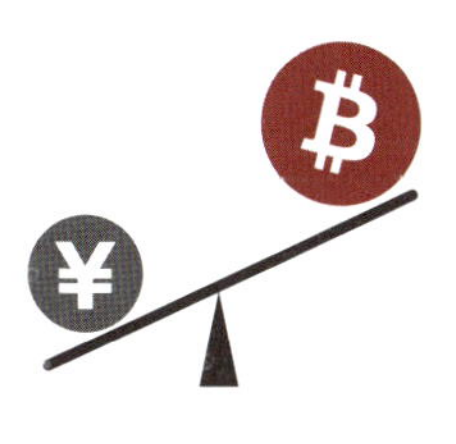

（P32 参照）

分散投資

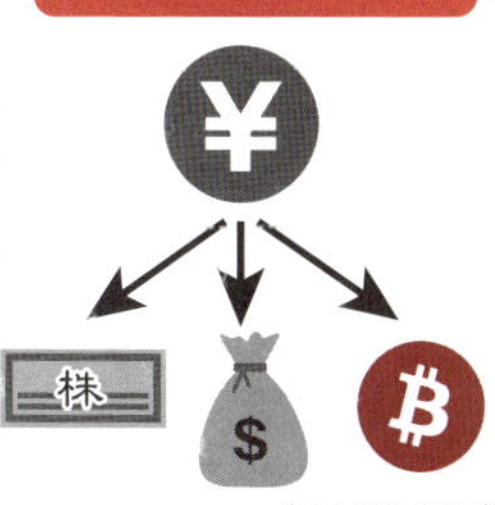

（P106 参照）

●日本円などのように通貨として利用できる

商品の購入

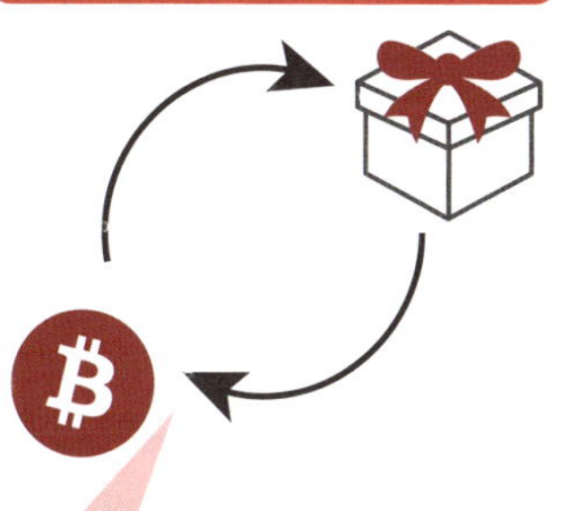

海外への送金

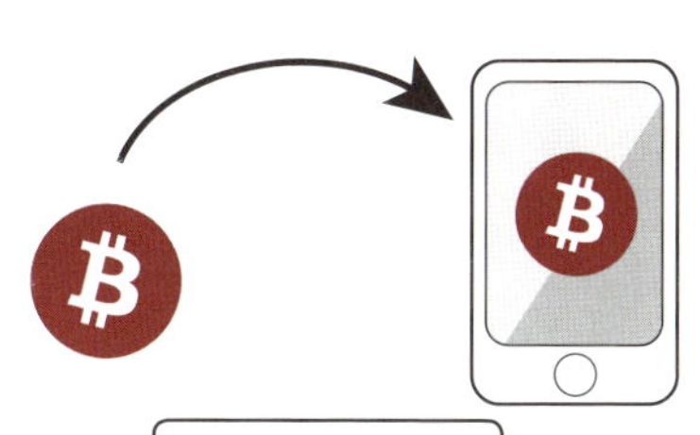

国内でビットコインが使えるお店

- DMM.com（ネットショップ）
- ビットコインモール（ネットショップ）
- ビックカメラ（家電）
- ソフマップ（家電）
- メガネスーパー（眼鏡）　など

（2021年1月現在）

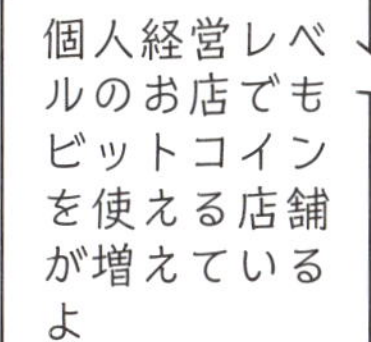

ビットコインはどうやって手に入れる？

Ⓑ記録作業の報酬として

ビットコインは取引所で売買されているので、**口座（ウォレット）を作り、市場で買うのが最も簡単な入手方法**です。ほかにも次の2つの方法で入手できます。

1つ目は**マイニング**。マイニングとは、誰が、どれくらいの通貨を使ったかをインターネット上の台帳に記録する作業のことで、この作業がなければブロックチェーンは成立しません。そのため、**マイナー（マイニングをする人）には記録した分に応じた報酬がビットコインなどの仮想通貨で支払われます**。この報酬を目的として、マイニングを専門に行う業者もあります。マイニングは、高価で高性能のPCが必要になるため個人向きではありませんが、マイニング業者に出資して利益の一部を受け取ることもできます。

Ⓑキャンペーンでもらえることも！

もう1つの方法は、**誰かからもらう**ことです。企業アンケートに答えたり、買い物をすることでビットコインをもらえることがあります。キャンペーン情報などを細かくチェックするとよいでしょう。

Check!

ネムのハーベスト

ネムのようにハーベストを行う通貨は、一定量の通貨を保有しておくだけで、報酬として通貨を得られます。

用語解説

※**ハーベスト**：10,000XEM以上保有し、そのネムを公式ウォレット「NEM Nano Wallet」に預けることでネムをもらうこと。預けるだけで報酬をもらえることからハーベスト（収穫）と呼ばれている。

ビットコインの入手方法

①取引所で購入する

②マイニングの報酬として

マイニング作業による記録分に応じて、仮想通貨が支払われる。

③キャンペーンなどで入手する

Part4 06

株や為替と何が違うの？

仮想通貨市場は休みがない

チャートで値動きを確認したり、レバレッジ取引ができたりするなど、仮想通貨と株や為替には共通する部分がたくさんあります。一方、異なる点もあります。最も大きな違いは、**市場に休みがない**ことです。

株（国内市場）の取引可能な時間帯は平日の9時から15時まで。為替市場は24時間動いていますが、土日祝日は取引できません。一方、仮想通貨市場は24時間、３６５日動いています。そのため、早朝、深夜、休日など時間を気にせず売買に参加できます。

言い方を変えると、夜中も休日も常に価格が動くということです。そのため、**株や為替以上にリスク管理を徹底する必要があります**。寝ている間、遊んでいるとき、仕事中などに価格が急落する可能性を考えて、投資資金を抑えたり、リスクの取りすぎに注意するといった工夫が大切です。

投資できる数にも注目！

もう1つ異なるのは投資対象の数です。株は国内市場だけで約３７００銘柄、為替は20種前後の通貨が売買できます。一方、**仮想通貨で売買できるのは10種類程度**です。選択肢を増やし、細かく分析したい人は株に向いていますが、種類が多すぎると選べない人は為替や仮想通貨のほうが向いているといえるでしょう。

仮想通貨と株・為替の違い

●取引可能な時間帯

株の取引時間

平日9〜15時
土日祝日は休み

為替の取引時間

平日24時間
土日祝日は休み

仮想通貨の取引時間

24時間365日
土日祝日も取引可能！

仮想通貨は、常に価格変動しているから、リスク管理を徹底する必要があるよ

●投資対象の数（国内）

株 → **約3,700銘柄**

為替 → **約20種類**

仮想通貨 → **約10種類**

分析好きな人は株を、選ぶ苦労を避けたい人は為替や仮想通貨がおすすめね

Part4 07

仮想通貨はどうして安全なの？

ブロックでつながっているから

ビットコインなどの根幹であるブロックチェーンは、**過去のデータを書き換えても修復できる仕組みになっており、書き換えられにくい**ようになっています。なぜ書き換えにくいかというと、ブロックチェーンによってデータが無数のブロックでつながっている構造となっているためです。

例えば、ある人から1BTC受け取った後、その取引を無効にする書き換えが行われたとします。しかし、ブロックチェーンによって、その取引が記録されたブロックの後には無数のブロックがつながっていて、ブロック同士をつなぐチェーンは、前のブロックの残高がいくらだったかといったデータを参照しています。そのため、1BTC受け取った記録を消すと、次のブロックとのつながりが成立しなくなり、書き換えに気づくことができます。

データの改ざんには手間がかかる

実際にデータの改ざんが起こると、データから出力されるハッシュ値が変わり、改ざんされたブロックが特定されます。しかも、1か所でもデータを改ざんすると、**それ以降につながるブロックもすべて書き換えなければなりません**。

このような構造になっているため、データ改ざんがされにくく、すべての取引の整合性と安全性が確保されるのです。

用語解説

※**ハッシュ値**：「0」と「1」からなるデータを一定の法則で同じ長さに短縮した数値のこと。データの改ざん検知やファイルの同一性確認に使われている。

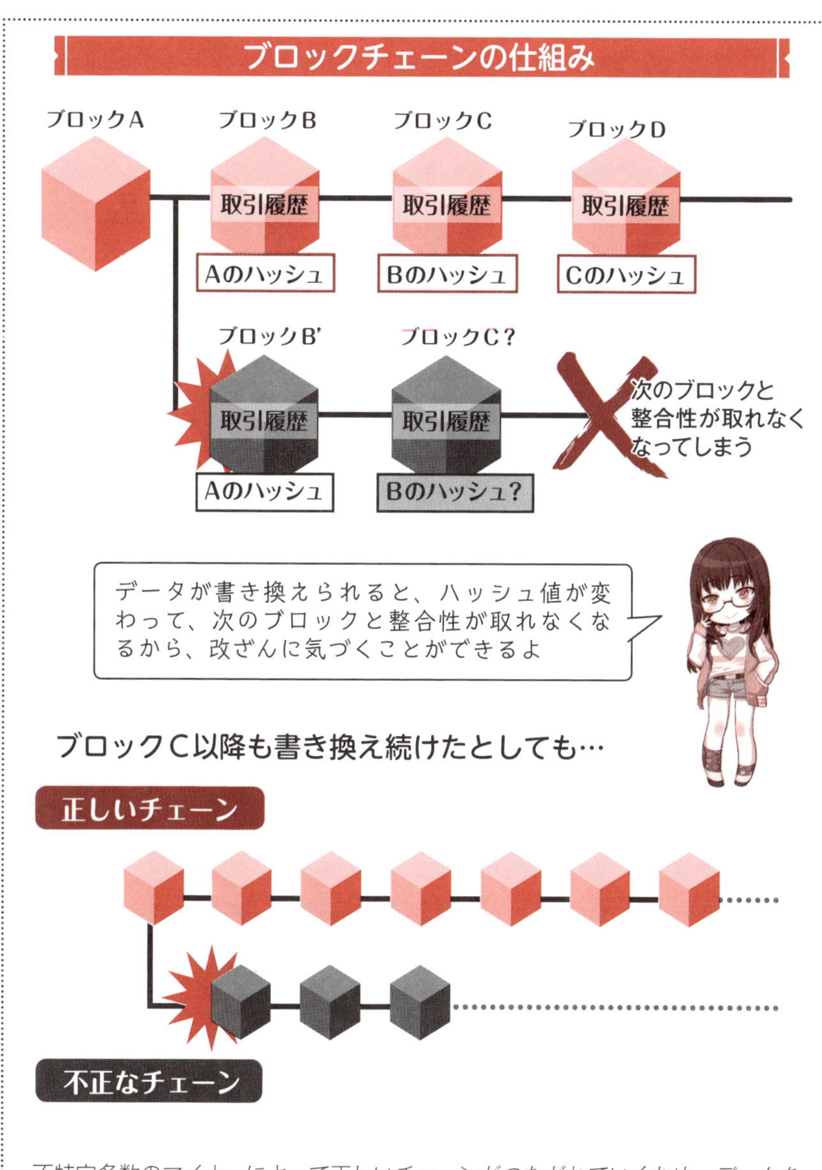

不特定多数のマイナーによって正しいチェーンがつながれていくため、データを改ざんした人だけで不正なチェーンをつなげていくことは、ほぼ不可能になる。

Part4

08

預けた資産はどうやって守られている？

ネット上での保管はリスクが高い

前項で紹介した通り、ブロックチェーンの安全性は確保されていますが、預けた通貨が安全に保管されるかどうかはわかりません。通貨を預けた取引所がハッキングされたり、取引所の関係者やパスワードを入手した人などが勝手に口座に触れたりすることで、自分の通貨が盗まれる可能性があるからです。

ハッキングされる原因は、預けた資産が**ホットウォレットと呼ばれるインターネットと接続された口座に置かれているため**です。ハッキングはインターネット経由で行われるので、ネット上で通貨を保管していると盗まれるリスクは高くなります。

コインチェックやザイフから流出した通貨もホットウォレットの通貨だと見られています。

オフラインでも油断しないように

コールドウォレットと呼ばれる、**ネット接続していない口座**ならハッキングされることはありません。

ただし、コールドウォレット内の通貨も、ログインパスワードなどを盗まれた場合は盗まれる可能性があります。そのため、資産を預ける側としては、**セキュリティレベルが高い取引所を使う、パスワードを厳重に管理できる2段階認証を設定する**など、資産を守る意識を高めることが求められます。

ホットウォレットとコールドウォレット

●ホットウォレット

インターネットにつないで仮想通貨を保管している状態。ハッキングのリスクが発生する。

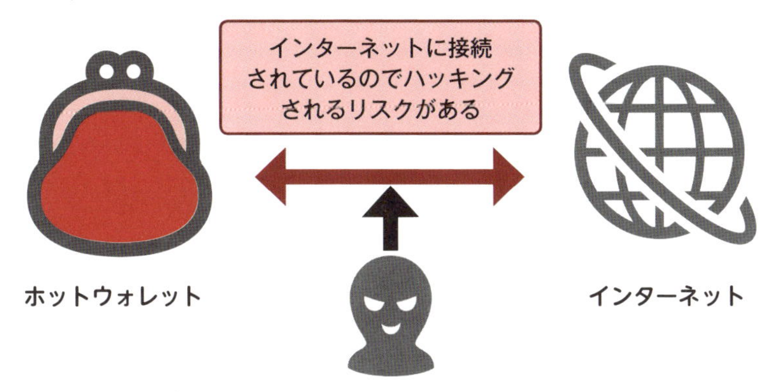

●コールドウォレット

インターネットから切り離して仮想通貨を保管している状態。ハッキングされることはないが、ログインパスワードなどの管理には気をつける必要がある。

インターネットに接続
されていないので、口座には
直接ハッキングできない

コールドウォレット

インターネット

コールドウォレットでも、ログインパスワードなどが盗まれるリスクがあるから、セキュリティ意識はいつも高く持っておこう

09

投資先の配分はどうする？

割合と組み合わせを考える

本章の最後は、ポートフォリオについて考えてみましょう。**ポートフォリオとは資産配分や配分の割合のこと**で、どんな資産を、どれくらいの割合で持ち、どんな資産と組み合わせるかを考えることをいいます。

守り重視でポートフォリオを組むのであれば、**時価総額が大きいビットコインを中心として、イーサリアムやライトコインなどと組み合わせる**のがよいでしょう。この方法であれば、仮想通貨市場が低迷しても、メジャーな通貨は買い手がつきやすく、マイナーな通貨より早く、高く売れる可能性が大きくなります。

反対に、攻め重視でポートフォリオを組むのであれば、価格が安く、時価総額が低い草コインの割合を増やすとよいでしょう。草コインは大化けする可能性を秘めている点が魅力ですので、リスクが大きい分、大きなリターンも狙えます。

投資方針と市況に合わせる

ポートフォリオに「これ」という正解はありません。**その都度、投資額や狙いたい利益額によって、投資先や配分を調整するようにしましょう**。また、市場も常に変化します。軟調のときは守りを重視し、活性化してきたら攻めるといった調整をしていくことも重要なポイントになるはずです。

用語解説

※**軟調**：市場の相場が下がり気味なこと。

ポートフォリオの例

●守り重視のポートフォリオ

時価総額が多いメジャーな仮想通貨を組み合わせる。

- 買い手がつきやすく、早く高く売れる可能性がある。
- 値動きの幅が小さくリスクも少ない。

メジャーなコインなら、急落しても値動きの幅が小さく収まりやすいわ

●攻め重視のポートフォリオ

時価総額が低い草コインの割合を多くする。

- 草コインが大化けしたときには、大きな利益が得られる。
- 損するリスクも大きい。

もり子ちゃんからSOSが来そうだわ……
スチャ
ガチャッ!

ねえ
アリスちゃん

この間いってた
新しい通貨って
どんなものなの？
へへ
実はね――

M
Model
つい最近
モデルって通貨が
先行販売されたんだけど
まだ注目されてないし
チャンスだと思うんだ
値上がりするように
今日の配信でも
アピールしちゃおうよ！
ん？
注目の
新通貨！
Money

私たちに
影響を受けて
投資した人が
出てきたら
大損
させちゃうかも
しれないし
…ふ～ん
…やっぱり
やめたほうが
いいよ
もり子ちゃんは
損するのが
怖いんだー
フンッ
ガタ
そうじゃなくて
無責任な発言で
他の人を
巻き込みたくない
だけだよ！
…どうして
そんなに
焦ってるの？
Money

…私はどうしても
仮想通貨で成功して
有名になりたいの！
やりたい
ことだって
いろいろ
あるんだから！
ア
アリスちゃん…
もういい！
今日は1人で
やるから
帰って!!
え？
ちょっ
まっ…
ぐい
ぐい
ぐい
バ

それから数か月後
はあ…
あれから結構経っちゃったなぁ
最近忙しいの？
もり子ちゃん
もうアイドルやらないの～？
もしかして解散！？
楽しみにしてたから残念
あれ以来気まずくなっちゃってアリスちゃんとは距離できちゃったし…
気を取り直してチャートのチェックしよ～
カキ
カキ
あれ？
この通貨すごい値上がりしてるけどこれって…
うぉ電話…
!

もっ…
もしもし
アリスちゃん？
…もり子ちゃん
…どうしよう…
助けて…
泣いてる…？
どうしたの？
アリスちゃん…

モデルの価格が
一気に下がっちゃて
その後も資金を
回収しようと
別の通貨に投資
したんだけど
全然上手く
いかなくて…
私…っ
どうしたら
いいの？
アリスちゃん
落ち着いて…
まだお金は
残ってるんだよね？
…実は家賃も
払えなく
なっちゃって…
そんな…

…今は落ち着くためにも仮想通貨から離れたほうがいいのかも
もり子ちゃん…ありがとう…
そうだ！一緒にご飯を食べようよ
うんじゃあその日にしよう
じゃあまたね
アリスちゃん…大変なことになってたんだな…
あメッセージがきてる…って川島さん？
今週時間あるでしょ？
13時にいつもの
お店に集合よ

アリスちゃん！
もり子ちゃん
ハッ
ごめんね…もっと強くアリスちゃんを止めてあげられてたら…
そんな…全部私の責任だし…
カッ
そうよ
Money

何甘いこと
いってんの
川島さん！
…コーヒーを
…なんで
パンサーさんが
ここに？
あ 実は
アリスちゃんから
電話貰ったとき
この子が
あなたに
会うっていうから
ちょうどいいと
思ってね
私も
同席させて
もらうことに
したの
なのにこの子に
連絡するなんて
ちょっと都合が
よすぎるんじゃない？
それよりあなた
いいこというわね
責任は
自分にある…
Money

ガタッ
川島さん それは
いいすぎですよ！
あなたは
黙ってなさい！
いい？ この子は
リスクを承知で
投資をしたの！
琴音が
止めたにも
かかわらずね
だから
損しても
得しても
それは全部
自分の責任
投資は
自己責任で
あることが
大前提なのよ!!
パンサーさんの
いうとおりです

もり子ちゃんには
感謝しています
あのとき
私を止めようと
してくれたことも
そして今日
会ってくれた
ことも…
アリス
ちゃん…
ねえ
アリスちゃんは
どうして
リスクを
冒してまで
投資しようと
思ったの？
それは…
…それはこれが
関係してるんじゃないの？

あ…
え 真ん中の子…
アリスちゃん…？

新たな投資対象「IEO」

IEOは、「Initial Exchange Offering：イニシャル・エクスチェンジ・オファリング」の略で、企業が新しいプロジェクトを進めるために、未公開トークン（既存のブロックチェーン技術を利用して発行された仮想通貨のこと）を公開・販売することで資金調達する手法のことです。

IEOの流れを簡単に説明すると、まず、IEOを用いて資金調達したい企業は、トークンを発行し、その販売を取引所に委託します。委託された取引所は、発行元の企業や発行されるトークンについて審査。審査が通った場合には、取引会社は自社のユーザーに対して、トークンを先行販売します。一般販売される前の価格で購入できるため、購入者は、トークンの価値が将来的に値上がりすることで利益を得ることができます。

IEOの特徴としては、①取引所が審査を行うため信頼性が高いこと、②販売はされたもののトークンの上場が中止といったような事態が起きづらいこと、③取引所のユーザーであれば誰でも参加できること、④取引所を通すため発行元企業も資金調達しやすいこと、などが挙げられます。

現在、IEOを扱っているのは、海外の取引所のみですが、日本国内の取引所においても、2020年8月にIEOの実現に向けてのプロジェクトがスタートしました。今後の動向には注目していきましょう。

最終話
だって友達なんだから
こんな動画よく見つけてきましたね
こういうのに詳しい人間がいてね
アリスちゃんって本当のアイドルだったんだ
しかもセンター！
センターっていってもデビュー前だし…
デビュー直前で辞めてしまったんでしょ？
えーそうなの⁉なんで？
デビュー直前になって突然
プロデューサーがセンターはじゃんけんで決めるっていいだしたんだよ
じゃ…⁉
そのほうが話題性があるって
結局私は負けちゃってセンターはほかの子になった…

センターでいるために誰よりも頑張ってたのに…
努力してもちゃんと評価されないなんておかしい！
…って思って辞めたの
それでネットアイドルを始めたんだね
仮想通貨で利益を出して努力が評価される場所を作るのが
私の目標だったから…
もり子ちゃんを巻き込んだのも話題になると思ったからなの
ごめんなさい
アリスちゃん…
でもこれだけ迷惑かけちゃったんだもの
アイドルも投資も今日で全部辞めます…
…アリスちゃん
今日呼んだのはこれを返すためだったの
Money

これって…
初めて会ったときにアリスちゃんがくれたコインだよ
おおっ
仮想通貨のことを知らない私に
いろいろ教えてくれたお礼に返そうと思って
すごい…私が買ったときよりもずっと…
数十倍は高くなってる!!
でも…こんなの受け取れないよ これはもり子ちゃんにあげたんだし
受け取ってよ！お友達の印でしょ
こんなことまでしてもらうなんて…
お礼だから！気兼ねなく使って！
らちがあかないでしょ
大人しく受け取りなさいよ

その代わり
アイドルも投資も
続けなさい！
このコインを
売ったお金で
一から出直すの
！
でも…
川島さんの
いうとおりだよ！
最初から
成功する人なんて
いないんだから
これからも
一緒に頑張ろうよ!!
もり子ちゃん
パンサーさん…
ありがとう
ございます…！
私…
もう1回
頑張ってみます！

よかった…アリスちゃん！
ギッ
そういえばさっきいってた目標だけど
もっと詳しく聞かせてくれない？
面白そうな事業なら出資するわよ
カチャ
えっ
実はいろいろ企画を考えてまして！
アリスちゃん切り替え早っ！
川島さんもお金になりそうと思うとすぐそうなんだから！
さっきまでと態度がちがう！
ガタッ
投資のチャンスはいつどこにあるかわからないんだからいいじゃない！
いいじゃない

おわりに

２０１７年は、仮想通貨に注目が集まった結果、ビットコインだけでなく、多くのアルトコインも軒並み値上がりしました。持っているだけで儲かる状況から「to the moon」や「寝ロング」という言葉が生まれ、資産が1億円を超えた、通称「億り人」という人たちも誕生。その勢いはメディアでも取り上げられたほどです。

しかし、この仮想通貨バブルも突如、終わりを迎えます。取引所へのハッキングによって、多額の仮想通貨が盗まれるという事件が発生したためです。当時２３０万円の値をつけたビットコインも、一時は40万円前後まで値下がりしました。

この事件を知って、仮想通貨に投資したいと思っていた人、もしくはすでに投資をしていた人のなかには、やっぱり仮想通貨は「怖い」「危ない」と思った人もいるでしょう。

また、現在、２０２０年末から再びビットコインの高騰が続いています。こうしたニュースを見て、改めて、仮想通貨の値動きを読むのは難しいと思われた人もいることでしょう。

確かに、仮想通貨は誕生してからまだ10年しか経っておらず、投資できるようになったのは、さらに最近のことです。株やＦＸと比べれば、まだまだ仮想通貨の市場や法整備は未発達かもしれません。しかし、国や政府が仮想通貨の規制は行っても、完全な禁止をしないのは、安全に取引できる環境さえ整えば、仮想通貨によってより便利な社会になると考えているからではないでしょうか。

つまり、仮想通貨の仕組みや投資の知識を身につけておくことは、今後に活きるのです。本書は、仮想通貨や投資に触れたことがない人でも楽しく、わかりやすく学べるよう、基礎的な知識を文章だけでなくマンガや図解を交えて紹介しています。お読みいただき、仮想通貨に対する不安や疑問が少しでも解消されれば、大変嬉しく存じます。

なお、投資に必勝法はなく、すべて自己責任ということを忘れてはいけません。特に仮想通貨は価格が上下に大きく動きやすく、他の投資に比べハイリスク・ハイリターンといえます。そのなかで利益を得るためには、知識だけでなく実際に売買を繰り返し、経験を積んでいくことも必要です。

本書が仮想通貨投資で成功するためだけでなく、業界への興味や仮想通貨の利用への一助になれば幸いです。

２０２１年　３月

な行

は行

ま行

や行

ら行

■著者　**SC(Strongest Cryptocurrency)研究会**（えすしー けんきゅうかい）
仮想通貨（Cryptocurrency）投資を筆頭に、さまざまな投資について、実際に投資をしながら、投資に勝つ方法・投資を楽しむ方法などの研究をおこなっているグループ。

■マンガ　**吉村 佳**（よしむら よし）
主に4コマ漫画を執筆。「どろんきゅー」（芳文社）、「寮長は料理上手」（KADOKAWA）、「マンガでわかる最強の株入門」（新星出版社）など。
【ブログURL】http://yoshimura4.blog.fc2.com/

スタッフ
●執筆　伊達直太、櫻井啓示
●カバーデザイン　有限会社ソウルデザイン
●本文デザイン　松崎 知子
●DTP　株式会社ディ・トランスポート
●本文イラスト　湯吉
●マンガ協力　宮嶋 緑子
●編集協力　株式会社サイドランチ

本書の内容に関するお問い合わせは、**書名、発行年月日、該当ページを明記**の上、書面、FAX、お問い合わせフォームにて、当社編集部宛にお送りください。**電話によるお問い合わせはお受けしておりません。**
また、本書の範囲を超えるご質問等にもお答えできませんので、あらかじめご了承ください。
FAX：03－3831－0902
お問い合わせフォーム：http://www.shin-sei.co.jp/np/contact-form3.html

落丁･乱丁のあった場合は、送料当社負担でお取替えいたします。当社営業部宛にお送りください。

改訂版 めざせ「億り人」！
マンガでわかる最強の仮想通貨入門

2021年5月5日　初版発行
2022年1月5日　第3刷発行

著　者　SC研究会
発行者　富永靖弘
印刷所　株式会社新藤慶昌堂

発行所　東京都台東区台東2丁目24　株式会社 新星出版社
〒110－0016 ☎03(3831)0743

ISBN978-4-405-10384-9